En prenant une profonde inspiration, Skate se tourne vers le squelette.

Le voilà donc, blanc et luisant, dans le coin de la pièce. Ses orbites vides semblent le fixer d'un regard étrange.

Skate s'approche du squelette en retenant son souffle. Il se penche pour étudier sa main. Dans l'obscurité, il hausse les sourcils et fait la grimace. Quelque chose ne tourne pas rond.

Un mouvement furtif à la limite de son champ de vision attire son regard...

Il lève les yeux. Le squelette lance vers lui sa main droite et le saisit par l'épaule !

ÉCOLE DE LA PEUR

La revanche du squelette

Tom B. Stone

Traduit de l'américain par
Alain Jost

Éditions HEMMA

Sommaire :

Graveyard School ™
Titre original : THE SKELETON'S REVENGE
Texte Copyright © 1996 by Tom B. Stone
Illustration de couverture : © Mark Nagata
Published by arrangement with BANTAM DOUBLEDAY DELL
Books for Young Readers, a division of
Bantam Doubleday Dell Publishing Group, Inc., New-York,
New-York, U.S.A.
All rights reserved.
ISBN édition originale : 0-553-48524-5

Pour l'édition en langue française :
©Hemma, 1999
ISBN : 2-8006-6759-1
Dépôt légal : 01.99/0058/017
N° d'impression : 37139807
Printed in EC
Édition 3.99

Prologue

Dans son lit, Skate Mac Graw se redresse en sursaut. Son rêve semblait si réel... Il ne cesse de le hanter depuis la nuit fatale où il a fait la course sur la colline du Skate avec cette brute d'Eddie Hoover. Et avec Ben Marrow, le champion de skate-board venu d'outre-tombe ! Le rêve est toujours le même...

Ils dévalent la colline. Skate voit approcher les vieilles tombes près de l'École du cimetière. Jamais il n'a filé aussi vite sur sa planche. Jamais il n'a été aussi bon. Et il va battre Eddie Hoover !

Soudain, Skate réalise qu'Eddie et lui ne sont pas seuls dans le virage de l'Homme Mort.

Ben Marrow est de retour !

Tous trois font un bond au sommet d'une bosse et restent suspendus dans les airs. Skate sent le sol monter à la rencontre de ses roues. Il le sent, mais ne le voit pas, car il ne peut détacher ses yeux de

Ben Marrow.

Ben Marrow n'est pas le skateur habile et élégant qu'il semblait être. Il n'est pas non plus un grand champion, perfectionnant incognito de magnifiques figures.

« Il semble mort. Tout à fait mort. »

Ben Marrow n'est qu'un squelette sur un skateboard. Son crâne blanc luit sous la lune. Sa chemise n'est que haillons, son jeans est raide de crasse. Ses orteils osseux émergent des pointes béantes de ses chaussures.

Ben Marrow se tourne et rencontre le regard horrifié de Skate. La mâchoire du squelette tombe. De petites flammes brûlent dans ses orbites vides. Il jette la tête en arrière et éclate d'un rire horrible et silencieux...

La dernière portion du virage s'ouvre devant eux. Ben Marrow sourit de toutes ses dents. Il tente d'agripper Skate.

– Pas de ça ! crie Skate. Attrape-moi si tu peux !

Il se jette en avant et prend le virage sur deux roues. Puis il zigzague devant Ben en coupant deux fois sa trajectoire. Il jette toutes ses forces dans la bagarre. Revenant de l'extérieur du virage, il percute la planche de Ben.

Le squelette tente à nouveau de le saisir, mais le manque.

Il ne reste plus devant eux qu'un tronçon de route droite. Comment Skate pourrait-il distancer un squelette ?

Il se penche en avant et regarde sa planche.

« Personne, se jure-t-il, personne n'aura mon skate. »

Une odeur de fumée emplit l'air. Le vent hurle. Skate ne peut plus respirer, il ne voit plus clair. Il sent des doigts osseux lui glisser sur l'épaule.

Et à cet instant, il passe comme une fusée la ligne d'arrivée.

Derrière lui, il entend un bruit horrible, comme si mille os étaient broyés et réduits en poussière. Un nuage de fumée rouge sang l'entoure alors qu'il tente de ralentir. L'image déformée de Ben Marrow flotte à côté de lui pendant une fraction de seconde. Les yeux vides du squelette brûlent d'un feu infernal, ses dents grincent d'une rage monstrueuse.

Puis il se volatilise...

Skate soupire, éponge la sueur sur son front et se laisse retomber sur l'oreiller. Le pire de tout, se dit-il, c'est qu'il ne s'agit pas d'un rêve Tout cela s'est réellement passé. Il a triomphé d'un squelette en skate-board !

Mais maintenant, le squelette se venge de Skate. Bien qu'il se soit volatilisé, il reprend vie chaque nuit dans ses rêves.

Chapitre 1

Le facteur est passé

En pesant sur l'arrière de sa planche, Skate Mac Graw s'arrête devant la boîte aux lettres, à l'entrée de son allée. Il tend le bras pour l'ouvrir et en extraire le courrier.

– Ne fais pas ça ! lance une voix.

Il interrompt son geste et se retourne.

Sa cousine Vickie Wheilson se tient derrière lui, sur le trottoir. Elle a les bras croisés et un pied posé sur sa planche violette, rouge et vert fluo. Comme des points d'exclamation, ses cheveux roux jaillissent de son bandeau rayé rouge et vert, sous son casque. Les manches retroussées d'une énorme veste de pilote, élément de sa tenue d'hiver, révèlent des gants vert citron sous ses protège-poignets. Un pull mauve et un col roulé rouge, un jeans déchiré, des genouillères râpées et des baskets violettes complètent son équipement. Dans le paysage gris des jours qui précèdent Thanksgiving, elle constitue une saisissante tache de couleur.

– Que fais-tu ? demande Vickie. Ça pourrait être très, très dangereux, pour ne pas dire mauvais pour ta santé ! Franchement, je n'en crois pas mes yeux !

Skate fronce les sourcils. Il ne parle que quand il y est forcé et, avec sa cousine, c'est rarement nécessaire.

D'un mouvement bien réglé, Vickie ouvre les bras et, d'un coup de talon sur l'arrière de sa planche, la fait sauter dans ses mains.

– Tu n'as pas vu ce film ? demande-t-elle. Celui avec l'employé des postes ? Et celui où le type glisse la main dans sa boîte sans regarder ? Boum ! Feu d'artifice ! Franchement, Skate, je me demande comment tu as survécu jusqu'ici !

Skate lève les yeux au ciel. Sa cousine a l'habitude de délirer. Pourtant, il se penche pour jeter un coup d'œil dans la boîte avant d'en retirer le courrier. Vickie se penche, elle aussi.

Il n'y a là que du courrier ordinaire : un magazine, quelques lettres, un petit paquet, des factures et une carte postale. Skate décoche un regard à sa cousine, qui n'est pas ébranlée.

– Eh bien, la prudence est mère de la sûreté, dit-elle. Mieux vaut s'attendre à tout.

Sans répondre, Skate prend le courrier et s'engage dans l'allée de sa maison. En parfait contraste avec sa cousine, il porte un casque blanc sur ses cheveux bruns coupés courts, un sweat-shirt gris, un blouson et un jeans délavé et des baskets usées. Sa planche est unie, en bois d'érable poli.

– Alors, tu as reçu quelque chose d'intéressant ? demande Vickie en scrutant le courrier que Skate tient en main.

Il hausse les épaules, puis s'immobilise. Dans le courrier, il y a une petite enveloppe rembourrée. Son nom et son adresse y sont imprimés. Mais l'enveloppe ne porte pas le nom de l'expéditeur.

– C'est quoi ? demande avidement Vickie.

Skate hausse à nouveau les épaules. Le cachet postal est de Floride.

– C'est peut-être un cadeau de bienvenue de ton oncle Edgard, suggère Vickie. Comme tu ne l'as plus vu depuis cent ans...

– Dix ! rectifie Skate.

– Peu importe, dit Vickie. Tu as de la chance de pouvoir passer Thanksgiving dans une région chaude. Tu sais qu'ici il risque de neiger !

À cette idée, elle frissonne.

– De plus, poursuit-elle, ça va te permettre de sécher trois jours de cours à l'École du cimetière.

Comme s'il était provoqué par l'évocation de ce nom, un souffle de vent vient les fouetter avant de se perdre dans la rue en gémissant lugubrement. Skate ne peut s'empêcher de frissonner, lui aussi. Il n'est pas transporté de joie à l'idée d'aller visiter un oncle dont il ne se souvient plus et qui vit sur une île étrange au milieu de nulle part. Mais tout est préférable à l'école.

Il se demande, une fois de plus, comment ce serait de fréquenter une école qui ne compte pas autant de fantômes et de démons que d'élèves. Une école où le surnaturel est confiné dans les pages des livres et où les professeurs n'ont pas tous l'air de venir d'outre-tombe.

Mais il ne le saura jamais. Du moins, tant qu'il n'aura pas quitté l'École du Bosquet, surnommée École du cimetière à cause de l'ancien cimetière qui la borde, ainsi que de son cortège d'horreurs quotidiennes.

Encore faudrait-il qu'il y termine son premier cycle et qu'il le termine vivant.

– Mince ! dit Vickie. L'oncle Edgard est vraiment maniaque. Cette enveloppe est collée et agrafée !

– Il est écrivain, lui rappelle Skate, comme si cela expliquait tout.

Vickie ne l'écoute pas. Elle tire sur le paquet en essayant de faire sauter les agrafes. Comme elle n'y arrive pas, elle enlève un de ses gants pour essayer de déplier les agrafes avec ses ongles.

– J'abandonne, dit-elle enfin. Essaie toi-même !

Skate lui reprend le paquet et s'acharne sur les agrafes, sans plus de succès. Il y renonce, porte l'enveloppe à sa bouche et, avec ses dents, arrache un à un les bouts de métal rebelles.

Quand il a triomphé de la dernière agrafe, Vickie tend les mains pour y recueillir le contenu de l'enveloppe. En la soulevant par les coins, Skate se met à l'agiter.

Rien n'en sort.

Il la secoue plus violemment, en la frappant de sa main libre.

Un objet enroulé dans du papier blanc tombe dans la paume de Vickie. Elle referme les doigts et commence à défaire le papier.

Elle fronce les sourcils puis se met à loucher.

– C'est... commence-t-elle.

Puis, en hurlant, elle jette l'objet au loin.

Chapitre 2

L'île d'Os

– Pouah ! Répugnant ! Il m'a touchée !

Vickie improvise un pas de danse dégoûté, en agitant les mains en l'air.

Skate agrippe un de ses bras et la tire vers lui. Elle le regarde de ses yeux écarquillés. Son visage est plus pâle encore que d'habitude.

– On... aurait dit... un os ! bredouille-t-elle.

Il confirme de la tête, tout en resserrant son emprise sur son bras.

Elle regarde sa main, puis examine ses doigts un à un.

– Je vais bien, dit-elle enfin. J'ai été un peu surprise, c'est tout.

Skate hoche à nouveau la tête.

Une nouvelle bouffée de vent froid balaie l'allée. Il laisse tomber le courrier sur les marches devant la porte. Vickie et lui se mettent à la recherche du bizarre objet. Ils cherchent sur le trottoir et sous les buissons dépouillés de leurs feuilles par l'hiver qui approche. Ils arpentent la terre gelée. Où l'objet a-t-il pu atterrir ? Serait-il tombé en poussière ?

Ils le retrouvent au moment précis où la mère de Skate vient l'appeler pour dîner. Skate glisse rapidement la main derrière son dos pour que sa mère n'aperçoive pas l'os. Il a l'impression répugnante que le sinistre objet remue dans sa main et il le serre plus étroitement.

– Je n'y pige rien, dit Vickie après que madame Mac Graw est rentrée chez elle. Pourquoi ton oncle Edgard t'enverrait-il un os ?

– Si c'en est un ! ajoute Skate.

Il ouvre la main. Ça a bien l'air d'un os. Ou plutôt des phalanges d'un long doigt qui ferait un geste d'invitation.

– Nous ne sommes même pas sûrs qu'il vient de l'oncle Edgard, dit Skate.

Vickie incline la tête de côté, étudiant le doigt aux jointures tordues en réfléchissant profondément. Est-ce un vrai ou une imitation ? Du plastique ?

– Skate, on mange ! Et tu dois finir tes bagages.

Nous partons tôt demain matin.

Madame Mac Graw a reparu sur le seuil. Elle se penche au-dehors et ajoute :

– Tu devrais rentrer, Vickie. Tu dois aller à l'école demain.

– Ne me parlez pas de ça ! implore sombrement Vickie.

Madame Mac Graw sourit.

– Joyeux Thanksgiving ! lance-t-elle par-dessus son épaule avant de refermer la porte.

– À toi aussi, tante Amy ! répond distraitement Vickie.

Skate remet le doigt dans son enveloppe, qu'il replie soigneusement. Il secoue la tête pour s'assurer qu'il ne rêve pas. Non, tout est réel. Le squelette de ses cauchemars vient maintenant le harceler dans ses heures d'éveil. Il ramasse le courrier et s'apprête à rentrer.

– Attends ! lance Vickie.

Comme si elle avait lu dans ses pensées, elle poursuit :

– Peut-être est-ce une sorte d'avertissement. Peut-être quelqu'un veut-il te faire peur.

Elle lance à Skate un regard chargé de sous-entendus. Vickie ne se souvient que trop bien de

Ben Marrow.

– Je ne sais pas ce qui se passe au juste, ajoute-t-elle, mais je crois que tu devrais surveiller tes arrières.

Skate saisit ses insinuations. Il monte les marches et, quand il atteint la porte, lance :

– On se verra à mon retour.

– Si tu reviens ! réplique Vickie.

Il feint ne pas l'avoir entendue.

En sortant du taxi, madame Mac Graw enlève sa casquette de base-ball et expose son visage aux chauds rayons du soleil et à la brise salée. Monsieur Mac Graw hisse sur sa hanche sa fille Christine, âgée de cinq ans.

– Regardez... C'est le golfe du Mexique ! annonce-t-il.

– Le ferry fait plusieurs escales, intervient le chauffeur de taxi. Sur quelle île avez-vous dit que vous vouliez aller ?

– On ne vous l'a pas dit, rectifie monsieur Mac Graw, mais nous allons sur l'île d'Os.

– L'île d'Os ? fait le chauffeur d'une voix plus aiguë.

– L'île d'Os ? répète Skate.

Il sourit. L'oncle Edgard lui aura envoyé l'os pour plaisanter... Il commence à se sentir mieux.

– Oui ! confirme joyeusement monsieur Mac Graw.

Le chauffeur de taxi lui lance un regard oblique puis ouvre le coffre de la voiture. Le père de Skate l'aide à poser les valises sur l'aire de gravier du débarcadère.

– Mon frère Edgard y habite, explique-t-il. Je ne l'ai pas vu depuis près de dix ans. Il a voyagé en Amazonie.

– Edgard Mac Graw ? dit le chauffeur.

– Oui, l'auteur de livres d'épouvante ! précise la mère de Skate. Vous le connaissez ?

– Non, dit le chauffeur.

Il lance un regard un peu nerveux vers la mer. Puis il empoche l'argent de la course que lui tend monsieur Mac Graw et remonte dans son taxi.

– Joyeux Thanksgiving ! lance madame Mac Graw.

Le chauffeur de taxi ne répond pas.

Monsieur Mac Graw se tourne vers sa femme et son fils.

– Je sais, dit-il, qu'Edgard a précisé dans sa lettre qu'il ne vivait pas dans une résidence luxueuse. Mais, à en juger par la photo de sa maison qu'il nous a envoyée, ça paraît très bien. Paisible et relaxant.

Il rit en secouant la tête et ajoute :

– En comparaison de la façon dont Edgard a vécu ces dernières années, ça doit même ressembler à un palais pour lui.

Le moteur du taxi se met à tourner, tousse et s'éteint. Le chauffeur décoche un regard sombre à monsieur Mac Graw.

Un son plaintif résonne à la surface de l'eau.

– C'est la sirène du ferry, s'exclame madame Mac Graw. Christine, Skate, regardez ! Le ferry arrive.

Christine lance un petit cri ravi. Skate ne prête pas attention à ce que dit sa mère. Il se sent soudain moins à l'aise. Il saisit la portière du taxi alors que le chauffeur tente de faire repartir le moteur.

– Qu'est-ce qui ne va pas sur l'île d'Os ? demande Skate.

Le chauffeur de taxi lui lance un regard furtif.

– Tu n'auras qu'à interroger ton oncle, dit-il. Joyeux Thanksgiving.

Il enfonce l'accélérateur et le taxi bondit en

avant.

– Bienvenue, bienvenue, bienvenue ! claironne une voix sonore.

– Edgard ! s'écrie monsieur Mac Graw en se précipitant pour embrasser son frère.

Skate s'attendait à découvrir, accompagnant cette voix puissante, un homme solidement bâti. Mais celui auquel son père donne, avec émotion, de grandes claques dans le dos, évoque plutôt un nain de jardin fortement bronzé. Sa tignasse sauvage, décolorée par le soleil, a tourné au gris-blanc et ses yeux bleus sont si pâles qu'on les croirait, eux aussi, mangés par la lumière. Il porte un short kaki qui flotte autour de ses genoux osseux et une chemise délavée qui bat au vent. Ses pieds maigres émergent de vieilles chaussures de tennis dont il a coupé le bout.

– Thomas, Thomas, quel plaisir de te voir ! s'exclame l'oncle Edgard. Et toi, Amy, comment vas-tu ?

Il se tourne pour embrasser la mère de Skate. Puis il s'abaisse et tend sa main. Timidement, Christine y met la sienne.

– Et voilà donc Christine. J'ai des photos de toi,

tu sais ! dit-il.

– Bonjour, oncle Edgard ! dit Christine.

L'oncle sourit si largement que ses yeux en disparaissent presque.

– Et Skate ! termine-t-il. Je ne dirai pas que tu as grandi. C'était à espérer, puisque tu étais encore bébé la dernière fois que je t'ai vu.

Skate hoche la tête et serre la main de son oncle. Elle est mince et puissante.

« Des doigts osseux ! » pense Skate en retirant rapidement sa main. Il réalise que, malgré lui, il est en train de compter les doigts de son oncle. Mais ils sont tous présents à l'appel.

« Reprends-toi ! » se dit Skate.

Mais son oncle semble n'avoir rien remarqué.

– Bienvenue sur l'île d'Os ! lance-t-il tandis que le ferry s'éloigne en toussotant.

Il les mène vers une vieille camionnette pick-up mangée par la rouille et équipée d'énormes roues.

– Mettons vos bagages à l'arrière et nous pourrons tous nous serrer sur le siège avant, dit-il.

Mais ils n'y parviennent pas. Pas avec la planche de Skate !

– Skate, dit sa mère, mets ta planche à l'arrière avec le reste de nos affaires.

– Et si elle tombe ? Et si quelqu'un roule dessus ? s'exclame Skate, pris de panique.

Oncle Edgard rit de bon cœur.

– Peu probable, assure-t-il. Il n'y a pas beaucoup de véhicules sur l'île, tu sais !

Skate lance à sa mère un regard implorant. Elle le fixe d'un air menaçant.

Il soupire et se résigne. Il place sa planche à l'arrière en l'attachant à son sac à dos et niche celui-ci soigneusement entre les valises. Et si quelque chose tombait dessus et la brisait ?

« La brisait comme un os ! » se dit-il en pensant au sinistre paquet.

Mais il chasse ces sombres idées. Il remonte dans la cabine et, en vrombissant, la camionnette s'éloigne du quai. À l'extrémité du débarcadère se dresse une petite maison. Dans un coin de la fenêtre, une pancarte indique : « *Magasin, bureau de poste, pension pour animaux, ferry.* » Dans l'autre coin, une plus petite pancarte dit : « *Fermé.* »

Devant eux, une route faite de coquillages écrasés s'étire vers de rares arbres et des dunes qu'une maigre végétation arrime au sol.

– Il y a peu de véhicules, reprend l'oncle

Edgard, parce que peu de gens habitent sur l'île toute l'année. Et il n'y a qu'une route, celle-ci ! Bien sûr, on ne peut pas rouler sur les plages parce que ça détruit les sites de nidification, tue les animaux et accélère l'érosion du sol. L'île est petite, on n'a pas intérêt à la rendre plus petite encore.

– Quelle est sa taille ? demande la mère de Skate.

– Oh, ce n'est qu'un îlot de la barrière littorale, dit l'oncle Edgard. Rien de plus qu'une grosse dune qui protège la côte. Très instable, surtout pendant les grandes tempêtes.

– Des ouragans ? demande Skate.

– Il n'en faut pas autant. N'importe quelle bonne tempête suffit !

Oncle Edgard ricane à nouveau.

– Ça s'est vérifié au cours des années. Chaque nouvelle tempête dévore une plus grande portion de terre. Cet endroit faisait partie d'une longue île qui s'étendait sur des kilomètres et des kilomètres. Mais l'océan l'a rongée lentement et j'habite sur un des morceaux qui subsistent. En général, chaque tempête emporte une ou deux maisons sur cette île ou sur une autre ; celles qui sont trop proches du rivage. C'est pourquoi il ne reste presque plus d'habitants. Qui serait assez cinglé pour acheter un terrain qui peut se trouver au fond de l'eau en une nuit ?

— Toi ? suggère Skate.

— Skate ! dit sa mère avec indignation.

Mais l'oncle Edgard rit de bon cœur.

— Je suis cinglé, c'est vrai. Mais ma maison se trouve en plein milieu de la partie la plus large de l'île. C'est quand même une garantie. Et si la mer l'emporte, eh bien... Autant de perdu !

Tandis que l'oncle Edgard parle, la camionnette émerge d'entre deux grosses dunes. Devant eux scintillent les eaux bleues du golfe du Mexique.

Christine pousse à nouveau son charmant petit cri ravi. Skate reste obstinément silencieux.

Ils roulent moins vite maintenant, cahotant dans les grandes ornières qui prétendent former une route.

— Pourquoi l'appelle-t-on l'île d'Os ? demande madame Mac Graw.

— Pour toutes sortes de raisons, aussi bonnes l'une que l'autre, dit l'oncle Edgard.

Il lance un coup d'œil vers Skate.

— L'une d'elles, c'est que l'île se serait formée

sur les os de marins jetés aux requins par des pirates, ou abandonnés sans vivres.

– Des pirates ? lance Christine d'une voix aiguë.

– Il n'en reste plus aujourd'hui, assure l'oncle Edgard. Ne crains rien, ma chérie.

Skate a l'impression que son oncle le regrette un peu. Mais il n'en est pas vraiment sûr. Il cesse alors de l'écouter et fixe la mer, bouche bée.

Au loin, sur la surface étincelante du golfe, un mouvement a attiré son regard. Il se penche en avant, plissant les yeux pour tamiser la lumière aveuglante du soleil.

Quelqu'un se trouve là-bas. Un pêcheur ? Un nageur ?

Il cligne des yeux. Sans aucun doute, c'est une silhouette humaine. Elle se tient debout sur l'eau.

« Une barque, pense Skate. Il est debout dans une barque. Je ne peux pas la voir d'ici, voilà tout. »

Avalant sa salive, il dit avec autant de naturel que possible :

– Quelqu'un pêche, là, en mer.

Oncle Edgard regarde dans la direction que Skate lui indique et dit :

– Quoi, là, à l'horizon ? Non, personne ne pêche aussi loin. Trop dangereux ! Les courants l'emmèneraient en Amérique du Sud avant qu'il ait le temps de dire ouf !

– Pourtant... commence Skate.

Il cligne des yeux, deux fois de suite. Mais la silhouette a disparu. Elle était là il y a un instant et, la seconde d'après, elle a disparu.

– Le soleil vous joue des tours et le courant est traître, surtout au loin ! poursuit son oncle. Il y a un tas de bonnes places autour de l'île où on peut pêcher, se baigner et faire du bateau. Je te les montrerai !

Où a bien pu passer ce pêcheur ? Et s'il était tombé à l'eau et s'était noyé ? Si un requin l'avait mangé ?

– Il y avait quelqu'un là-bas ! insiste Skate.

– Mais non, dit l'oncle Edgard sans se laisser troubler. Regarde par toi-même.

En tenant le volant d'une main, il se penche pour prendre une paire de jumelles et la tend à Skate.

Skate fait la mise au point et balaie lentement l'horizon. Un grand ciel bleu et vide rencontre l'eau sombre et déserte du golfe. Pas de bateau.

Pas de silhouette se débattant dans l'eau et appelant à l'aide.

À regret, Skate abaisse les jumelles et les rend à son oncle, qui les remet en place d'une main tout en maniant le volant de l'autre. La route s'écarte du rivage et Skate jette un dernier regard vers les flots bleus.

Le revoilà ! Skate se retourne si vite qu'il cogne son genou à la portière.

Une mince silhouette danse à la surface de l'eau. Comme en extase, elle agite lentement les bras.

– Ce n'est pas possible, se dit Skate. Il n'y a pas de bateau. Personne ne va si loin en barque.

Un souffle de brise lui fouette le visage et il entend une petite voix moqueuse l'appeler par son nom.

– Skate ? Allons, Skate, viens ! Viens jouer... Les requins attendent !

Chapitre 3

Le squelette d'Edgard

Il en a le souffle coupé. La camionnette passe derrière une haute dune. L'eau étincelante et la figure macabre qui y danse disparaissent de sa vue.

Skate se cramponne à la portière. Ce n'est pas possible, il doit être victime de son imagination. Ce devait être le vent. Le soleil. Il doit être fatigué.

Oui, bien sûr, c'est ça.

Il se laisse retomber sur le siège en tremblant et remarque à peine qu'ils traversent un bosquet d'arbustes filiformes et de petits palmiers en éventail. Puis ils débouchent dans une clairière au sol tapissé d'aiguilles de pin et s'arrêtent devant une maison biscornue, délavée par les intempéries.

– Nous y sommes, annonce l'oncle Edgard. Le château d'Os !

Une fois de plus, Skate a l'impression qu'il le regarde en prononçant ces mots.

– Mais elle n'est pas construite avec des os, constate Christine.

Oncle Edgard rit de bon cœur.

– Bien sûr que non, dit-il. C'était juste une petite plaisanterie.

« Moi, ça ne me fait pas rire ! » pense Skate.

En prenant une grande inspiration, Skate descend de la camionnette. Il s'empresse d'aller voir à l'arrière si rien n'est arrivé à sa planche.

– C'est très joli, Edgard ! assure madame Mac Graw. Je dois avouer que, quand j'ai appris que tu allais vivre ici, j'ai pensé que ce serait un peu plus... rudimentaire !

– Pas de télé, pas de voisins, pas de *fast-foods* ! dit fièrement l'oncle Edgard. C'est mon idée du luxe !

« Et pas de route pour ma planche », pense sombrement Skate en récupérant son skate-board. Il le soumet à une soigneuse inspection. Aucun dégât, mais il est convaincu que le bois souffrira de l'air marin humide et salé.

À la suite de sa famille, il entre dans la maison. Les plafonds y sont hauts et le plancher usé sent l'humidité. La plupart des fenêtres sont ouvertes et le bruit du ressac résonne derrière les rideaux et les moustiquaires.

– C'est merveilleux ! s'extasie la mère de Skate.

« Les parents sont tous un peu fêlés », se dit Skate.

– Venez, venez ! lance l'oncle Edgard en montant joyeusement l'escalier. Christine, tu auras une chambre pour toi toute seule, juste en face de celle de tes parents. Si tu regardes par la fenêtre, tu verras Perdido Bay. C'est la baie que le ferry a traversée pour venir ici.

– Je vais t'aider à défaire tes bagages, ma chérie, dit madame Mac Graw. Pendant ce temps-là, ton père s'occupera des nôtres, d'accord ?

Christine approuve de la tête, en écarquillant les yeux.

– Et toi, Skate, poursuit l'oncle Edgard, tu dormiras ici, au bout du couloir. Il y a une jolie vue sur le golfe ; je crois que ça te plaira.

Il ouvre une porte et fait un pas en arrière.

Skate pénètre dans une grande pièce aux murs blancs et au plancher de bois poncé, meublée d'un vieux lit en fer. Par la fenêtre, on voit des branches d'arbre encadrant une vaste étendue de dunes d'une blancheur aveuglante et l'eau étincelante du golfe. À la surface de la mer s'étagent des zones azur et turquoise qui, au loin, se muent en bleu foncé.

Malgré lui, Skate est irrésistiblement attiré par cette vue. Il laisse tomber ses affaires, à l'exception de sa planche qu'il pose soigneusement sous le lit, et se dirige vers la fenêtre.

Les vagues viennent se briser sur la plage avec une régularité hypnotique. Le rugissement de l'eau et le mugissement du vent emplissent ses oreilles. C'est trop. Trop de tout !

Il se demande combien de requins nagent sous le miroir de la mer.

– Skate, les requins t'attendent !

La voix résonne à nouveau dans sa tête.

Il s'éloigne brusquement de la fenêtre et, en se retournant, constate avec surprise qu'oncle Edgard se tient toujours sur le seuil. « C'est maintenant ou jamais ! » décide Skate. Il ouvre son sac à dos et en extrait l'enveloppe.

– Oncle Edgard, c'est toi qui m'as envoyé ça ? demande-t-il.

Il lui tend la petite enveloppe rembourrée.

L'oncle Edgard la regarde d'un air intrigué.

– Non, dit-il. Ce n'est d'ailleurs pas mon écriture.

– Jette un coup d'œil à l'intérieur, insiste Skate.

L'oncle Edgard y glisse les doigts et en retire l'os. Toute couleur semble déserter son visage, qui tourne au jaune maladif.

– C'est une blague ? dit-il. Comment savais-tu...

– Comment est-ce que je savais quoi ? demande Skate.

Sans répondre, l'oncle Edgard s'avance vers Skate et l'entraîne au rez-de-chaussée. Il ne se retourne pas une fois tandis qu'il descend l'escalier, tourne dans un couloir et traverse une autre pièce à l'arrière de la maison.

En suivant son oncle, Skate le voit extraire une clé de sa poche puis l'introduire dans la grosse serrure d'une porte ancienne, au fond de la pièce. Edgard pousse la porte et se rue à l'intérieur.

Skate le suit, puis reste figé sur place.

Il se trouve dans le bureau de son oncle, une pièce toute tapissée de livres, avec de larges fenêtres, une chaise, un bureau, une lampe... et un squelette humain.

Un squelette humain auquel il manque un doigt.

Chapitre 4

Une planche sur la mer

— Regarde ! lance l'oncle Edgard.

Skate est sur le point de s'évanouir. Le squelette pend là, mollement, sans vie grâce à Dieu. Mais il lui manque un doigt !

— J'ai acheté ça pour y puiser l'inspiration d'un de mes livres. Mais il lui manquait un index ! dit l'oncle Edgard en examinant l'os que Skate lui a donné. Ça pourrait bien être celui-ci.

— Mais pourquoi me l'aurait-on envoyé ? demande Skate.

— Aucune idée ! fait l'oncle Edgard en riant. Mais ça ferait une excellente histoire d'horreur !

Il se précipite vers son bureau, ouvre un carnet et se met à y gribouiller quelques mots.

Skate reste là, immobile, réalisant qu'il n'aura sans doute jamais le fin mot de cette affaire.

L'oncle Edgard est déjà tellement absorbé par son histoire que Skate doit l'appeler à trois reprises.

– Oncle Edgard, est-ce que je peux aller nager ? finit-il par crier.

– Mais bien sûr ! dit l'oncle Edgard, un peu surpris.

– Et quand tu reviendras, nous t'aurons préparé un bon dîner !

– Nous ? s'étonne Skate. Quelqu'un d'autre vit ici ?

Il lance un regard vers le squelette.

– Il n'y a que moi, dit l'oncle Edgard. Mais une sirène me rend visite.

– Une sirène ? répète Skate.

L'oncle Edgard lui adresse un clin d'œil.

– Tu verras par toi-même ! dit-il.

« Mon oncle est complètement dingue ! » se dit Skate.

– Skate ! lance son oncle alors qu'il s'apprête à sortir.

L'oncle Edgard lui tend l'enveloppe en souriant gentiment, comme s'il ne s'était rien passé du tout.

– Je crois que ceci t'appartient ! dit-il. Voilà, sans doute, l'idée que quelqu'un se fait d'une bonne blague.

Il rit à nouveau.

L'oncle Edgard dépose le paquet dans la main de Skate et se repenche sur son carnet.

– C'est mouillé, mouillé, mouillé ! lance Christine.

Des épaules de son père, elle saute dans l'eau.

– Maintenant ! dit la mère de Skate à côté d'eux.

Et elle se jette en avant pour cueillir la crête d'une vague qui roule vers la plage. Elle est très forte pour surfer sur les vagues en faisant la planche et Skate tente de l'imiter.

Mais il rate la vague, qui passe par-dessus lui et poursuit sa course vers le rivage. Il en manque une autre, puis une autre encore.

L'eau n'est pas froide du tout. Le soleil de fin d'après-midi est encore très doux et Skate et sa famille ont la plage pour eux seuls. Sur le rivage, il voit leurs serviettes et leurs parasols, les flacons de lotion solaire et les limonades et aussi le petit seau de Christine. Ils forment autant de taches de couleur vive sur le sable blanc.

Une autre vague passe sur lui et une autre encore. Sa mère refait surface près du rivage et se redresse en s'ébrouant. Christine saute à nouveau des épaules de son père et touche le fond en soulevant une gerbe d'eau autour d'elle. Elle émerge aussitôt et se met à éclabousser sa mère.

Deux vagues passent encore, deux grosses rides à la surface de l'eau qui refusent de former une crête jusqu'à l'instant où elles vont atteindre la plage. Des vagues sans utilité pour le surf.

Skate sort de l'eau en pataugeant.

– Je vais faire un tour ! annonce-t-il.

Son père hoche la tête en lui faisant un signe.

– Ne t'éloigne pas trop, lance-t-il.

« Et comment diable pourrais-je aller très loin sur cette île ? » se demande Skate. Les réflexions des parents sont toujours si prévisibles !

Il arpente le rivage à grands pas. De petits oiseaux brun et blanc, avec des pattes comme des baguettes et des colliers de plumes noires, s'égaillent devant lui et jouent à éviter les vagues tout en perforant le sable de leur bec en forme d'aiguille. Un escadron de mouettes prend son envol et s'en va tournoyer au-dessus de la mer en lançant des cris rauques. D'autres mouettes, à la tête noire, les survolent en lançant des cris moqueurs.

Skate jette un coup d'œil par-dessus son épaule.

Sa famille est réduite à un trio de points noirs qui s'agitent au bord de l'eau. Le golfe en paraît d'autant plus immense. Et Skate lui-même se sent ridiculement petit. Il détourne son regard et poursuit sa marche au long de la baie. Au coup d'œil suivant, sa famille est hors de vue.

Le surfeur semble surgir de nulle part. Une mince silhouette sur une planche longue et étroite, accroupie, les bras déployés. Il imprime à sa planche une série de mouvements sinueux, puis quitte calmement le sommet de la vague et disparaît. Le surfeur fait aussitôt virer sa planche et se met à pagayer avec les mains pour attraper la vague suivante.

Skate l'observe, hypnotisé. Une planche de surf lui paraît énorme, tellement plus grande qu'un skate-board. Mais il est fort impressionné. Jamais, jusqu'à présent, il n'a pensé à faire du surf. Mais, décidément, ça semble en valoir la peine.

À plusieurs reprises, le surfeur repart vers le large et répète sa course, sans jamais perdre l'équilibre ni manquer une bonne vague.

« Décidément, ce gars sait y faire ! » se dit Skate, en se demandant si monter une planche de surf fait le même effet que rouler en skate-board.

Skate se sent vraiment frustré de ne pas pouvoir utiliser sa planche sur cette île, où la seule route est faite de sable.

À ce moment, le surfeur termine une autre course parfaite. Cette fois cependant, plutôt que de repartir vers le large, il se dirige vers le rivage. Alors qu'il émerge de l'eau en serrant sa planche sous son bras, Skate le regarde plus attentivement.

Du cou jusqu'à ses pieds nus, il est vêtu d'une combinaison noire dont l'eau dégouline. Cette tenue sombre le fait paraître grand, mince et un peu menaçant. Ses longs cheveux foncés s'étalent en vagues humides sur ses épaules, comme s'il portait une perruque d'algues.

– Tu veux ma photo ? grogne l'homme sans tourner la tête. Comme ça, tu pourras la regarder à la maison !

Skate réalise qu'il le fixait avec insistance et rougit.

– Désolé, dit-il. Je ne voulais pas vous fixer comme ça... Mais vous êtes un fameux surfeur !

Le surfeur s'arrête et se retourne lentement. Son nez est protégé par une épaisse couche d'oxyde de zinc. Sa peau a la couleur du vieux bois. Quant à ses yeux, ils semblent ne pas avoir de couleur du tout. Ils sont plus pâles encore que ceux de l'oncle Edgard, de la teinte du sable argenté qu'une petite vague vient de laver.

— Merci, gamin ! dit le surfeur d'un ton qui sous-entend : « Qu'est-ce que tu y connais ? »

Skate rougit à nouveau. Il sent que le terme de gamin n'a rien d'affectueux.

— Skate. Je m'appelle Skate ! dit-il faiblement.

Le surfeur a repris sa marche. Skate se glisse dans ses pas.

— Chouette planche ! hasarde-t-il.

— Ouais, elle me ramène de là-bas jusqu'ici, réplique le surfeur.

Il s'arrête et regarde Skate dans le blanc des yeux.

— Tu fais de la planche ? demande-t-il, en indiquant la mer d'un coup de menton.

— Pas sur une planche de surf, non. Je fais du skate-board ! répond Skate. Je me débrouille pas mal. Mais ça ne me sert pas à grand-chose par ici.

— Ah ! ouais, du skate-board... fait l'autre.

Puis il sourit. Ses lèvres ne sont plus qu'un trait dans son visage tanné par le soleil. Est-il jeune ou vieux ? Difficile à dire.

— Tu ne trouveras pas beaucoup de routes sur

cette île, poursuit-il. En fait, je crois que t'as intérêt à abandonner la route.

Est-ce qu'il veut faire un jeu de mots ? Skate sourit du bout des lèvres. À ce moment, il se rappelle la silhouette qu'il a aperçue par la portière de la camionnette.

– Est-ce que vous faisiez du surf tout à l'heure, plus loin sur la côte ?

– Plus loin ? C'est là que le ressac est le plus violent. Un coin méchant pour celui qui ne sait pas y faire.

– J'ai aperçu quelqu'un là-bas, au-delà des vagues.

– Vraiment ? dit le surfeur. Au-delà des vagues ? Mais on ne peut pas surfer au-delà des vagues.

Puis, brusquement, il ajoute :

– Ce n'est pas ton nom que j'entends crier ?

Skate se retourne. Est-ce que ses parents l'appellent ? Serait-il temps de rentrer ? Il n'en est pas sûr.

Quand il regarde à nouveau devant lui, le surfeur a disparu.

Chapitre 5

Le requin

– Holà ! appelle Skate.

La seule réponse qui lui parvienne, c'est un souffle de vent qui lui projette dans les jambes un peu de sable piquant. Skate a beau scruter le rivage, il n'y a plus personne en vue.

Une autre rafale balaie la plage. Skate baisse les yeux au moment précis où s'efface la dernière trace de pas du surfeur. On croirait qu'il n'a jamais existé. Où est-il donc passé ?

– Skate ? Skate ?

Il se fige un instant, en pensant à l'appel d'outre-tombe qu'il a entendu tout à l'heure. Puis il reconnaît la voix de son père.

– J'arrive ! lance-t-il.

Il jette autour de lui un dernier regard circulaire. Il pourrait aussi bien se trouver sur une île déserte.

Mais bien sûr, ce n'est pas le cas. Où que soit passé le surfeur, il finira bien par réapparaître. Et Skate sera prêt. Il se trouve peut-être sur une île sans skate-board, mais elle n'est pas sans planches. Et une planche de surf doit offrir des possibilités intéressantes.

En repoussant une vague impression de malaise, Skate court rejoindre sa famille.

– Allons, viens faire un dernier essai ! propose sa mère.

« Surfer en faisant la planche. Quelle farce ! » pense Skate.

Mais, pour l'instant, il devra s'en contenter. Il s'avance dans l'eau en pataugeant. Sa mère se laisse cueillir par une vague, qui l'emporte.

Skate attend. Deux vaguelettes ridicules le dépassent. Il s'avance un peu plus loin dans l'eau...

Il marche sur quelque chose qu'il sent remuer sous son pied. Il bondit en arrière avec un hurlement contenu.

Sa mère, qui barbotait dans les environs, lève les yeux.

– Skate ? lance-t-elle.

– J'ai marché sur quelque chose ! crie celui-ci

en réponse.

– Probablement un crabe, intervient son père.

En formant une pince avec deux doigts, il dit à Christine :

– Un crabe va t'attraper par les orteils !

Elle hurle avec une terreur pleine de ravissement.

Avec prudence, Skate scrute l'eau transparente. Un groupe de petits poissons passe en zigzaguant. Une autre vague l'atteint. Elle le soulève et lui fait presque perdre pied.

Il laisse l'eau l'emporter, l'éloigner un peu de l'endroit où se tient sa famille. L'oncle Edgard les a prévenus au sujet du courant sous-marin et leur a indiqué les endroits les plus sûrs pour la baignade.

– S'il vous emporte, ne le combattez pas ! leur a-t-il dit. Il ne faut pas nager contre le courant, mais le traverser. Ainsi, vous en serez vite sortis.

Une autre escadrille de poissons passe près de lui en petits reflets argentés. Puis une autre encore, en formation serrée, filant comme si elle fuyait un danger. L'eau ici est d'un bleu plus intense. Skate ne distingue plus ses pieds sur le fond.

Il jette un coup d'œil derrière lui et voit s'enfler

ce qui semble être une vague parfaite. S'il réussit à sauter et à s'y jeter au moment où elle l'atteint, il sera transformé en planche de surf humaine et sera porté jusqu'au rivage.

Il lève les bras à l'avance. Il plisse les yeux sous la lumière aveuglante du soleil qui se réfléchit sur l'eau.

Elle approche. Encore. Encore.

Une forme se découpe une première fois, puis une seconde sur la surface étincelante.

C'est un aileron !

– Un requin ! crie Skate d'une voix blanche. Un requin !

Puis la vague s'abat sur sa tête. Quelque chose défile sous ses yeux. Sa vie, peut-être ?

« Elle a été si courte ! » se dit-il confusément.

Alors, la peau en papier de verre du requin lui frôle le dos. Il ouvre la bouche pour hurler à nouveau et avale de l'eau salée.

Quelque chose se referme sur son bras. Il lance un coup de poing dans l'espoir futile d'effrayer l'animal...

Son père le traîne hors de l'eau et sur le sable et sa mère se met à lui administrer des claques dans le dos. Skate crache de l'eau salée et se frotte les yeux avec les poings, essayant de calmer la brûlure qui les ronge.

Il lui semble entendre rire quelqu'un.

— On t'a entendu hurler, puis on t'a vu boire la tasse, dit son père. On a bien cru que tu allais te noyer, fiston !

Skate cligne des yeux. Il distingue l'image trouble de sa mère, son père et sa sœur penchés sur lui.

— J'ai cru voir un requin ! dit-il faiblement.

— Un requin ?

Madame Mac Graw se retourne d'un bond pour scruter l'horizon.

— Il est là, maman ! hurle Christine en se lançant dans les jambes de sa mère si violemment que madame Mac Graw en est presque renversée.

Skate se relève péniblement et fait la grimace. Son genou porte une éraflure incrustée de sable, comme s'il avait pris une pelle en skate-board.

Un aileron foncé se découpe à nouveau sur le bleu d'une vague. Un frisson court tout au long de la colonne vertébrale de Skate. Christine hurle une fois encore. Mais madame Mac Graw se met à rire.

— Bon Dieu ! Mais ce n'est pas un requin. C'est

un dauphin ! Ils sont assez communs par ici. Et parfaitement inoffensifs !

Comme s'il l'avait entendue, le dauphin bondit soudain dans les airs, frappant l'eau de sa queue. Skate remarque que l'aileron est arrondi et d'un gris brillant. Il voit d'autres ailerons fendant les flots dans les parages.

– Ils se déplacent généralement en groupe, dit le père de Skate. Et ils sont très intelligents. Certains disent même qu'ils sont plus intelligents que la plupart des humains.

Il rit à nouveau. Mais Skate ne rit pas.

– On peut retourner se baigner ? demande Christine.

– Bien sûr ! dit madame Mac Graw. Viens !

Elle prend Christine par la main et toutes deux retournent dans l'eau.

– Alors, tu te sens mieux ? demande monsieur Mac Graw.

– Sûr ! répond Skate, qui se sent stupide.

Les dauphins s'éloignent maintenant, glissant, bondissant et nageant juste au-dessus ou juste en dessous de la surface de l'eau. Skate voit les reflets du soleil sur leur peau gris-bleu et aperçoit aussi la peau gris-blanc d'un ventre alors qu'un des dauphins fait un bond.

Il s'avance dans l'eau pour y plonger une dernière fois et s'arrête net. Il secoue la tête, frappe le pavillon de son oreille du plat de la main. Mais la voix résonne toujours...

– Skate ! murmure-t-elle, juste assez distinctement pour couvrir le bruit des vagues. Le requin... Le requin... Il t'attend !

Chapitre 6

Porte close

— Tu as entendu ça ? demande Skate.

Monsieur Mac Graw se redresse.

— Entendu quoi ?

Tous les deux attendent en silence. Puis monsieur Mac Graw secoue la tête.

— Tu frissonnes, dit-il à Skate. Mets une serviette sèche autour de tes épaules et nous rentrons. Je ne sais pas ce que tu en penses, mais moi, j'ai faim.

Ce n'est pas le froid qui donne des frissons à Skate. Du moins, il ne le croit pas. Mais il obéit et se couvre les épaules d'une serviette. C'est bien plus simple qu'essayer de s'expliquer.

D'ailleurs, que pourrait-il dire ?

« Je suis poursuivi par quelqu'un que personne d'autre que moi ne voit... », « Une voix n'arrête pas de chuchoter au creux de mon oreille... » ou encore «Oncle Edgard a dans son bureau un squelette qui m'a envoyé un de ses doigts en guise de cadeau de bienvenue... »

Skate frissonne à nouveau et suit sa famille sur le chemin qui traverse les dunes. Il ne trouve rien à dire et fait donc ce qu'il a l'habitude de faire : il se tait.

Christine, dans la baignoire, chante une chanson à son canard en caoutchouc. Skate distingue aussi la voix de sa mère. Bien qu'il soit sûr qu'elles ne peuvent pas l'entendre, il fait la grimace quand une lame du plancher craque sous son pied alors qu'il passe devant la salle de bains.

Arrivé au rez-de-chaussée, il se dirige prudemment vers la porte d'entrée. Son père et son oncle sont sur la terrasse, les pieds sur la balustrade, et regardent les derniers rougeoiements du coucher de soleil. Des bruits de casserole et de vaisselle résonnent dans une pièce toute proche. Le dîner sera bientôt prêt mais, pour l'instant, tout le monde semble occupé.

En se déplaçant aussi rapidement et silencieusement que possible, Skate se dirige vers le bureau de son oncle. Il tire sur la lourde porte. Elle est fermée à clé. Il se penche pour regarder par le trou de la serrure...

La pièce est envahie d'ombres. Seule la faible lumière qui y pénètre encore par la fenêtre l'éclaire. Mais il est toujours là, ses os brillant sinistrement dans la pénombre... Le squelette ! Skate s'efforce d'en voir plus.

Mais, à cet instant, quelque chose le frappe violemment par-derrière.

Chapitre 7

Visite nocturne

– Que fais-tu là ?

Skate fait un bond en l'air et retombe comme un novice du skate-board, en perdant presque l'équilibre. Il se retourne pour se trouver face à une petite femme dans une robe trop large. Elle flotte autour d'elle, comme si elle cherchait à s'envoler, et la femme semble balancer avec le vêtement, ses pieds gardant à peine le contact avec le sol.

Des pieds, remarque Skate, qui sont chaussés de sandales et dont les ongles sont peints en rouge vif. D'une main, la femme brandit un balai, prête à le frapper à nouveau.

– Qui... Qui êtes-vous ? bredouille Skate en reprenant ses esprits.

– Une sirène ! lance-t-elle. Eh bien, quoi ? Tu

n'as encore jamais vu de sirène ?

– Si... Heu, non ! Je veux dire... Bonjour ! Je m'appelle Skate. Skate Mac Graw. Et vous, qui êtes-vous ?

– Dolly.

– Oh ! fait Skate.

La réponse ne l'aide pas beaucoup. Pas plus que la façon menaçante dont Dolly tient toujours son balai.

Dolly l'inspecte des pieds à la tête. Puis elle dit :

– Ainsi, tu es Skate. Le neveu d'Edgard.

– Oui, confirme Skate.

En abaissant légèrement le balai, Dolly précise :

– Je suis la sirène de ton oncle.

– Sa sirène ?

Skate lui jette un rapide coup d'œil, juste pour s'assurer qu'elle n'a pas de queue de poisson. Mais non. Elle se tient bien sur deux pieds humains. Ou du moins, des pieds qui ont une apparence humaine.

– Mais qu'est-ce que vous racontez ?

– Tu ne m'as pas l'air de briller par ta matière grise, soupire-t-elle. C'est une plaisanterie !

Décidément, ce n'est pas son jour. On l'a traité

de gamin et maintenant de demeuré. Ça commence à bien faire.

– Comment ça ? Qu'est-ce que ça a de marrant ? demande-t-il.

– Une sirène, c'est quoi ? Une créature qui se tient sur des rochers, près de la mer. Eh bien, j'habite au bord de l'eau, près du débarcadère du ferry. Alors, je dis que je suis la sirène du ferry. C'est un jeu de mots, tu saisis ? En fait, je suis la femme de ménage de ton oncle. C'est moi qui entretiens la maison et je fais aussi la popote.

Skate a parfaitement saisi. Mais il ne trouve pas ça très drôle.

– Ah, ah ! fait-il sans conviction.

Dolly se renfrogne. Son visage mince se durcit.

– Eh bien, monsieur le « trop fier pour rire d'une bonne blague », que faisais-tu là, à fourrer ton nez dans la serrure du bureau ?

– Heu... J'explore ! dit Skate. Vous voyez ce que je veux dire ? Je fais le tour du propriétaire.

Dolly a les cheveux si noirs qu'on les croirait teints à l'encre de Chine. Ils sont rassemblés sous une casquette. Malgré des rides au coin de ses yeux, sa peau est lisse et bien tendue sur les os de son visage et de ses mains.

– Ouais ! fait-elle. Eh bien, je suggère que tu ailles jouer à l'explorateur un peu plus loin, Marco Polo. Et tiens-toi à l'écart du bureau privé de ton oncle.

– Je ne savais pas qu'il était si privé ! rétorque Skate.

– Ah non ? Pourquoi crois-tu que la porte est fermée à clé ? ironise Dolly.

Skate ne trouve plus rien à répliquer. Il choisit donc de se taire.

Après un moment, Dolly reprend :

– Si tu veux explorer, va jouer à Christophe Colomb ailleurs. Entendu ?

Skate fixe en silence l'étrange femme.

– Tu m'écoutes, ou quoi ? demande-t-elle.

– Heu... Est-ce qu'on s'est déjà rencontrés ?

– J'en doute, répond Dolly. Maintenant, va te laver les mains. Nous allons dîner.

Elle agite le balai pour souligner ses paroles et Skate fait un bond de côté.

– D'accord ! Merci ! dit-il avant de battre en retraite.

– Eh bien, mon après-midi a été très productif ! annonce l'oncle Edgard à table, pendant que Dolly sert le dîner. Un tas de sang et de tripes, plus une bonne dose de magie noire et de torture. Ça m'a ouvert l'appétit !

Il adresse un clin d'œil à Skate.

Skate se dit que son oncle a l'air un peu trop gai. D'une gaieté forcée, comme s'il avait de graves problèmes et cherchait à les oublier.

Skate ne lui retourne pas son clin d'œil. Il se concentre sur son assiette, en jetant des regards obliques vers Dolly quand elle entre et sort de la salle à manger. Dolly ne paraît pas s'en apercevoir. Alors qu'elle se déplace silencieusement autour de la table, Skate se dit qu'elle a l'air de flotter.

Pourquoi tient-elle tant à l'éloigner du bureau ? L'oncle Edgard l'y a pourtant fait entrer. Mais pourquoi l'oncle ferme-t-il la porte à clé ? Il faut croire qu'il veut, lui aussi, tenir Skate à l'écart.

C'est clair : son oncle cache quelque chose dans ce bureau. Si seulement il pouvait se glisser dans la pièce et y jeter un coup d'œil, peut-être pourrait-il découvrir ce qui se trame. Mais comment y entrer si son oncle tient toujours la porte fermée ?

Skate avale sa nourriture sans la goûter, trop occupé à chercher une solution. Impossible de forcer la serrure. Hors de question de demander la clé. Tout en mastiquant, il regarde distraitement au-dehors.

Comment entrer dans le bureau de son oncle ? Il réalise soudain qu'il a la réponse sous les yeux.

Une fenêtre ! Le bureau a une fenêtre. Pas besoin de clé ; il pourra s'introduire dans le bureau en passant par là.

C'est tellement évident qu'il se demande comment il n'y a pas pensé plus tôt.

– Je ne suis plus moi-même. Je suis hors de mon corps. Non, hors de mes esprits ! Des extra-terrestres se sont emparés de moi. Ou ma cousine Vickie !

Les pensées de Skate tourbillonnent dans sa tête tandis qu'il se tient accroupi entre les buissons, sous la fenêtre du bureau. Malgré le bruit continu du ressac, la nuit est remarquablement calme.

Tout le monde dans la maison est endormi ; du moins, c'est ce qu'espère Skate.

Ce qui, au dîner, paraissait être une idée très simple ne semble plus aussi simple maintenant qu'il est accroupi entre les buissons au beau milieu de la nuit. La fenêtre se trouve beaucoup plus haut qu'il ne l'avait cru. Il ne lui suffit pas de jeter un coup d'œil à travers la vitre, de lever une jambe et de se glisser à l'intérieur.

Quelque chose remue dans les fourrés tout proches. Des serpents vivraient-ils sur l'île d'Os ? Il consulte rapidement les informations sur les serpents stockées en désordre dans son cerveau et arrive à la conclusion que les serpents à sonnette, en tout cas, vivent dans cette partie du pays.

Cependant, il leur faudrait nager un bout de temps pour atteindre l'île d'Os. Combien de temps un serpent peut-il donc nager ? Est-ce qu'une tornade pourrait soulever des serpents sur la côte et les emporter jusqu'ici ?

Tandis que Skate révise ses théories sur les serpents, le bruit disparaît. La créature, quelle qu'elle soit, a fui dans les ténèbres, en courant ou en rampant.

Il inspire profondément et se dresse au maximum pour atteindre l'appui de fenêtre. Ses doigts se replient sur le bois glissant, mais il ne trouve pas de prise. Et s'il en avait une, saurait-il se soulever jusque-là ?

Avec un grognement, il se laisse retomber et atterrit à quatre pattes sur le sol sablonneux. Il prend quelques pas de recul et lève les yeux vers la fenêtre obscure. Le vent se lève soudain et une silhouette surgie de nulle part se dresse devant lui.

Il ouvre la bouche pour hurler, avant de réaliser qu'il s'agit de sa propre ombre. Il regarde le ciel ; une lune presque pleine joue à cache-cache avec les nuages. Sa silhouette n'est pas apparue plus tôt parce que la lune était voilée.

« Magnifique ! se dit Skate. Il ne manquait que ça : la pleine lune. »

La dernière fois où il se trouvait dehors à minuit sous la pleine lune, c'était...

Non. Mieux vaut ne pas y penser.

Il se retire dans l'ombre d'un vieux chêne et frissonne quand une branche de lierre lui effleure le visage. Mais, protégé de la lumière de la lune par l'ombre profonde du chêne, il se sent déjà moins exposé.

De son abri, Skate scrute le jardin. Il aperçoit un hamac sous un arbre, un jardinet entouré d'une clôture en bois gardé par un épouvantail avachi, une barque posée sur des parpaings. D'autres parpaings sont dispersés sur le sol.

Skate attend que la lune soit à nouveau voilée par un nuage, puis court jusqu'au bateau. Il saisit un des parpaings...

– Ouf ! souffle-t-il. C'est vraiment lourd !

« Et à quoi t'attendais-tu ? demande une voix intérieure. C'est du ciment ! »

En haletant et en suant, il soulève à moitié le parpaing et le traîne jusqu'aux buissons sous la fenêtre. Il le dresse contre le mur et y grimpe.

Prudemment, il jette un coup d'œil au-dessus de l'appui de fenêtre.

Il aperçoit l'ombre de sa tête qui s'étire en travers du plancher et l'éclat blanchâtre des os dans un coin.

Il avale péniblement sa salive. Puis il appuie sur le battant de la fenêtre qui s'ouvre facilement.

Tout semble trop simple.

« C'est un piège ! » se dit Skate.

Il se fige et tend l'oreille. Mais le silence règne dans la pièce. Enfin, il jette une jambe par-dessus l'appui de fenêtre et retombe sur le sol du bureau avec un fracas qui semble résonner dans la maison entière.

À nouveau, il reste immobile, s'attendant à entendre retentir des « Qu'est-ce que c'était ? » et des « Qui est là ? ». Mais tout reste calme, comme si la maisonnée était sous l'effet d'un sortilège.

Skate se redresse sur les mains et les genoux

puis se lève. Il reste quelques instants sur place pour laisser ses yeux s'habituer à l'obscurité. La lune illumine la pièce. Il peut même lire les titres de certains livres, sur les rayonnages qui tapissent la pièce : *Histoire des poisons, Magie noire, Fantômes et revenants...*

Pourtant, il se sentirait plus à l'aise avec une lampe de poche ou une chandelle.

En prenant à nouveau une profonde inspiration, il se tourne vers le squelette.

Le voilà donc, blanc et luisant, dans le coin de la pièce. Ses orbites vides semblent fixer Skate d'un regard étrange.

Skate s'approche du squelette en retenant son souffle. Il se penche en avant pour étudier sa main. Dans l'obscurité, il hausse les sourcils. Il fait la grimace. Quelque chose ne tourne pas rond.

Un mouvement furtif à la limite de son champ de vision attire son regard.

Il lève les yeux. Le squelette lance vers lui sa main droite et le saisit par l'épaule.

Chapitre 8

Danse macabre

– Aaaaaaaahhhh !

Skate fait un bond en arrière en frappant le squelette, qui tient bon.

Skate martèle du poing la main qui emprisonne son épaule. L'emprise se resserre encore, les doigts s'enfoncent dans sa chair. Le squelette sourit. Ses dents claquent, de plus en plus fort, et sa mâchoire se referme très près de l'oreille de Skate.

– Nooooon ! implore Skate en dansant une gigue grotesque sur le plancher du bureau. D'un dernier effort désespéré, il repousse violemment le squelette qui le lâche enfin et va s'écraser contre la bibliothèque. Des os sont projetés dans les airs.

Skate lui-même perd l'équilibre et percute le mur près de la fenêtre.

– Aïe, aïe, aïe ! gémit-il.

Au-dessus de lui, à l'étage, il entend des voix inquiètes et des bruits de pas précipités. Skate se relève en titubant, mais des doigts se referment autour de sa cheville. Il baisse les yeux et aperçoit une main qui n'est plus attachée à rien mais s'accroche furieusement à sa jambe. Il essaie de s'en débarrasser d'une ruade, mais les doigts ne lâchent pas prise et tordent brusquement sa jambe.

Skate tombe à nouveau et les os se brisent sous lui comme de la craie.

Le plafonnier du bureau s'allume soudain.

– Qu'est-ce que ça signifie ? s'écrie l'oncle Edgard.

– Aidez-moi, implore Skate. Ils veulent me tuer. Les os essayent de me tuer !

– Te tuer ? gronde furieusement son père. Attention, c'est une idée qui pourrait me tenter !

– Oh, Skate ! Comment peux-tu faire une chose pareille ? dit sa mère.

Skate regarde autour de lui. Il est entouré d'une mer d'ossements, de papiers et de livres. Aucun des os ne bouge, mais beaucoup sont cassés. Skate gémit. Il lui semble qu'il s'est cassé quelques os, lui aussi.

— Et Christine ? demande monsieur Mac Graw à sa femme.

— Elle dort toujours, répond-elle.

— Je craignais que quelque chose de ce genre se produise, dit l'oncle Edgard d'une voix contrite. Je savais que ce squelette effrayerait les enfants et j'aurais dû le ranger.

— Je suis désolé, bredouille Skate.

— Les regrets ne suffisent pas, décrète madame Mac Graw. Ton skate-board est confisqué pour un mois !

— Un mois ! s'exclame Skate en se relevant comme un ressort d'entre les os et en les oubliant complètement. Mais c'est impossible ! Vous ne pouvez pas... Il faut... Je...

— Un mois, c'est très indulgent ! dit son père. Mais continue à discuter et nous pourrions bien revoir la durée !

Le ton est menaçant et Skate l'a bien saisi.

Oncle Edgard promène son regard de Skate à ses parents et fronce les sourcils.

— La punition me paraît sévère, dit-il. Il est bouleversé !

— Vous voyez bien ! dit Skate. Ne faites pas ça ! Pas ma planche, pas pour tout un mois.

– Maintenant ! coupe sa mère.

Elle le prend par le bras et l'entraîne hors du bureau, dans les escaliers et jusqu'à sa chambre. Tout au long du chemin, elle l'accable de reproches. Mais Skate l'entend à peine. Sans sa planche, il se sent perdu. De terribles choses vont lui arriver. Passer une semaine sur une île où il ne peut pas rouler était déjà assez pénible. Mais devoir livrer sa planche à des étrangers ! Qui sait ce qui va lui arriver...

Bien sûr, sa mère n'est pas une étrangère. Du moins, pas pour Skate. Mais elle en est une pour sa planche.

– Prends-en soin ! dit-il, le cœur serré.

La planche semble résister quand Skate la tend à sa mère. « Elle ne veut pas me quitter ! » pense-t-il follement.

La mère de Skate ne répond pas. Elle tient les lèvres serrées en une fine ligne et saisit la planche. Elle sort de la pièce et ferme la porte, laissant derrière elle un Skate au cœur brisé.

Quand Skate descend de sa chambre le lendemain, Dolly est seule dans la cuisine, les bras plongés jusqu'au coude dans l'eau de vaisselle.

Elle lui lance un regard.

– Où est tout le monde ? demande Skate d'un ton morne.

Il verse des céréales dans son assiette et s'assied pour manger. Il se sent fatigué et déprimé. Le soleil brille, mais son esprit est gris et sombre.

– Tes parents et ta sœur sont à la plage. Ton oncle est dans son bureau, occupé à mettre de l'ordre, répond Dolly.

Elle lui adresse un nouveau regard puis ajoute :

– Il paraît que tu as fait un pas de danse avec le squelette hier soir ?

Skate hausse les épaules. Il remplit sa bouche de céréales pour ne pas devoir répondre.

– Et tu vas rester un piéton pendant un mois ! ajoute Dolly.

Il continue à manger.

– Que ça te serve de leçon, conclut-elle. Ne cherche pas les ennuis.

Dolly soutient le regard de Skate alors qu'elle tend le bras pour prendre un torchon et s'essuie les mains. Elle se penche vers lui.

– Je le dis sérieusement, insiste-t-elle d'une voix basse et menaçante... Si j'étais toi, je me montrerais très, très prudent. Ou quelque chose de vraiment pénible pourrait bien t'arriver.

Skate se lève et repousse son assiette.

Mais Dolly n'en a pas encore fini. Elle sourit d'un mince sourire sans joie.

– Mon petit doigt me l'a dit ! murmure-t-elle.

La mère de Skate lit un magazine, assise dans un fauteuil de plage sous un parasol. Son père dort sur une serviette de bain, à côté d'elle. À l'ombre d'un autre parasol, Christine se livre à des travaux d'excavation.

– Te voilà enfin ! constate sa mère.

Skate hoche la tête.

– Tu as déjeuné ?

Nouveau hochement de tête. Quelle différence cela peut-il faire ? Sa vie ne vaut plus la peine d'être vécue.

– Tu dois attendre au moins une heure avant d'aller te baigner, dit sa mère.

– Je vais plutôt faire une promenade, répond Skate.

Il tourne les talons et s'éloigne.

– Est-ce que tu as mis de la crème solaire ? lance encore sa mère.

« Comme si elle se souciait de moi ! pense

Skate. Bah ! Je n'y crois pas. Si elle se souciait de moi, elle ne m'aurait pas pris ma planche ! »

Skate ne se donne plus la peine de répondre à sa mère. Qu'il grille ou qu'il brûle, quelle différence cela peut-il faire ? Il poursuit sa marche.

« Marcher est sans intérêt ! » se dit-il tristement.

Il souffre déjà d'être privé de skate sur cette île sans route. Et maintenant, il faudra qu'il supporte ce manque presque jusqu'à Noël.

« Tout ça, c'est à cause du squelette ! se dit-il avec rage. S'il se montre encore, entier ou en pièces détachées, il le regrettera. »

Il s'immobilise. Le squelette sur le skate-board... Qui d'autre était au courant ? Vickie ! Il est convaincu que Vickie lui a envoyé le doigt, ou qu'elle a demandé à l'oncle Edgard de le faire, pour lui jouer un mauvais tour. Elle a excité son imagination, juste avant qu'il ne parte pour la Floride.

Tout est la faute de Vickie. Sa faute s'il s'est laissé abuser par son imagination et s'il a détruit le squelette de l'oncle Edgard.

Gare à elle quand il rentrera !

Une ombre longue et mince apparaît près de la sienne alors qu'il longe la baie.

– Content de te revoir ! dit le surfeur d'une voix rongée par le sel.

– Oh ! fait Skate en sursautant.

– Toutes mes excuses, dit doucement le surfeur. Je ne voulais pas te faire peur.

– Oh, ce n'est pas grave !

Ils marchent en silence pendant quelques minutes. Puis le surfeur dit :

– Je ne crois pas que je me suis présenté. Je m'appelle Shell.

– Shell ?

– C'est un surnom ! Tu sais que ça veut dire « coquillage »?

Il traverse la plage en direction des dunes et Skate le suit sans même y penser. Il continue à remuer des idées noires. Il ne remarque même pas les différentes planches de surf étalées sur le sable avant que Shell s'arrête et les désigne d'un geste.

– Aujourd'hui, j'ai sorti quelques autres planches de ma poche ! annonce-t-il. La mer gonfle...

Sa voix devient rêveuse quand il ajoute :

– Elle arrive !

– Qu'est-ce qui arrive ? demande Skate.

Pour toute réponse, Shell se penche et soulève

la planche la plus longue, aussi brillante et menaçante qu'un requin.

– L'entraînement mène à la perfection, dit-il.

Puis il ajoute :

– Pourquoi n'essaierais-tu pas cet œuf ?

– Un œuf ?

– La planche courte et épaisse. C'est une planche de débutant.

– Vraiment ? fait Skate.

Il se sent blessé à l'idée d'être un débutant, sur n'importe quelle sorte de planche.

« Ma planche, ma planche ! » gémit-il intérieurement.

– Vraiment ! dit Shell en souriant d'un air énigmatique. Peut-être cela détournera-t-il tes pensées de tes problèmes.

Il se détourne et se dirige vers la mer.

Skate hésite pendant un instant. Puis il se dit :

« Pourquoi pas... »

Il prend la planche courte et suit Shell. Arrivé dans l'eau, il y pose la planche et essaie de pagayer pour gagner le large.

Il culbute immédiatement.

Shell se retourne pour lui lancer :

– Avance autant que tu peux. Puis hisse-toi sur

la planche et pagaie.

Après plusieurs essais, Skate réussit à glisser à la surface de l'eau en propulsant la planche avec ses mains. Il se sent étourdi. Comme ça fait du bien d'être sur une planche à nouveau !

– Tu as un bon sens de l'équilibre ! dit Shell.

– Merci, dit Skate.

Puis ils arrivent au-delà de la zone de vagues. Imitant Shell, Skate s'assied et laisse pendre ses pieds dans l'eau de part et d'autre de la planche. Il écoute attentivement les instructions précises du surfeur sur la façon de monter une vague. Cela ressemble en partie aux conseils de sa mère pour faire la planche sur les vagues et, pour le reste, à de la magie.

– Celle-ci est pour moi ! annonce Shell.

Il s'arrache du creux des vagues et disparaît en chevauchant un rouleau.

L'eau autour de Skate est d'un bleu profond. Le ciel est sans nuages. Le soleil, même aussi tard dans la saison, reste brûlant.

« Je suis loin, très loin de l'École du cimetière », se dit Skate.

Cette pensée devrait le réconforter. Mais ce n'est pas le cas.

Quelque chose frappe la surface de l'eau près de Skate qui sursaute et manque de renverser sa planche. Il voit alors une grande mouette battre des ailes et prendre son envol.

Il lance un coup d'œil par-dessus son épaule et décide d'essayer la vague suivante.

Quand elle arrive, il se propulse en avant en s'efforçant d'être bien synchronisé. Il sent la planche s'animer sous lui comme si elle était vivante et se met à genoux. La planche vire légèrement.

Il se met debout... Pendant un instant, il reste dressé, triomphant, comme s'il était le maître du monde.

Puis la planche part d'un côté et Skate s'en va de l'autre, retrouvant l'eau bleu foncé.

– Tu n'as pas été nager tout seul, j'espère ? demande madame Mac Graw quand Skate, tout trempé, rejoint sa famille sur la plage.

Ils rassemblent déjà leurs affaires, prêts à rentrer.

– Non, dit Skate. J'ai rencontré un surfeur très sympa.

Il ramasse sa serviette et accompagne sa famille

vers la maison. Il se sent fatigué mais moins malheureux qu'auparavant, pour l'instant du moins.

Non, cela fera vraiment l'affaire. Skate deviendra un maître du surf, même si ça doit le tuer.

Chapitre 9

L'appel des vagues

Il sait qu'il en est capable. Il sait qu'il peut chevaucher cette vague. Il la voit venir du bout de l'horizon, prenant de la vitesse, s'enflant de plus en plus alors qu'elle traverse le golfe pour venir vers lui.

D'où peut bien venir cette énorme vague ? Il n'en sait rien. Il s'en fiche.

Il pagaie pour aller à sa rencontre. La journée est très lumineuse. L'eau est très bleue. Tout est calme, comme en attente de la grande vague. En attente du grand moment.

Enfin, elle est là. Il pagaie plus fort. Se positionner correctement est très important. Il faut se trouver au bon endroit au bon moment... ou s'apprêter à boire la tasse.

Il s'arrête. La vague est presque sur lui. Elle

continue à grossir, à grossir... Il la regarde, bouche bée.

Puis il se tourne et se remet à pagayer. Il sent la planche se soulever.

Il regarde derrière lui. Il ne valait mieux pas, car il réalise soudain que la vague est bien trop grosse. Il ne va jamais y arriver.

Il pagaie aussi vite qu'il peut, mais la planche s'incline déjà. Il se sent soulevé dans les airs. Puis le mur d'eau, haut comme une falaise, s'abat sur lui...

Toc. Toc. Toc.

« C'est le squelette qui frappe sur ma planche », se dit Skate. Il se redresse.

C'est alors qu'il se réveille.

Toc. Toc. Toc.

Le squelette frappe à sa porte. Il tend l'oreille. N'est-ce pas le bruit de la clenche qui tourne sous ses doigts décharnés ?

Toc. Toc. Toc.

Ce n'est pas le squelette. C'est une branche d'arbre, agitée par le vent, qui cogne à sa fenêtre. L'aube commence seulement à poindre.

« Je me demande comment ce serait de surfer à l'aube », pense Skate.

Une minute plus tard, il est levé et habillé. Il se glisse dehors, saisit sa serviette de bain sur la balustrade et se dirige vers la plage.

Shell n'y est pas. Skate s'immobilise. Il est surpris lui-même de ce sentiment, mais il a l'impression qu'on l'a laissé tomber. Puis il la voit : une planche épaisse et arrondie enfoncée dans la sable comme une pierre tombale. La planche que Skate a utilisée la veille. Il court vers elle, puis jette un regard circulaire aux alentours. Où donc est Shell ? A-t-il vraiment laissé cette planche juste pour lui ?

Il tend la main et la laisse courir sur le bord de la planche. Il regarde la mer encore sombre, qui s'éclaircit peu à peu sous les rayons du soleil dépassant l'horizon. Les vagues roulent vers la plage dans un mouvement hypnotique ; ce sont des rouleaux parfaits qui ne demandent qu'à être chevauchés.

Il sait qu'il ne devrait pas s'aventurer seul dans l'eau. Il devrait attendre que Shell ou quelqu'un de sa famille arrive sur la plage.

« Pourquoi attendre ? se dit-il. Je suis un bon nageur. Il ne peut rien m'arriver. Et même, si c'était le cas... »

Alors même qu'il pense cela, ses mains soulèvent déjà l'œuf. Un moment plus tard, il patauge dans l'eau salée.

Quelque chose s'enroule autour de sa cheville et il fait un bond en arrière en étouffant un cri. Ce ne sont que des algues. Il les rejette d'un coup de pied et s'avance plus loin dans l'eau. Il frissonne. L'eau est froide. Sa surface grise et plane a un reflet métallique.

« Je ne devrais pas faire ça », se dit-il à nouveau.

Mais il repousse ses pensées et pagaie de plus en plus loin. Une nuée d'oiseaux marins s'élève tout près de là. Une mouette solitaire, à la tête noire, lance un rire moqueur au-dessus de lui. Le globe rougeâtre du soleil s'arrache à la mer, qui semble s'étendre jusqu'au bout du monde.

Il flotte, laissant le froid engourdir ses pieds et ses jambes qui pendent de la planche. Il scrute les vagues, évaluant les possibilités offertes par chacune d'elles.

« Rien qu'une course, se dit-il. Juste une belle course et je rentre à la maison. Qu'est-ce que je risque ? »

L'eau s'enfle derrière lui.

« Celle-ci ! » se dit Skate.

Il s'agenouille et se met à pagayer.

Il la prend au vol. Comme s'il avait monté des planches de surf toute sa vie, il la chevauche, sentant sous lui la formidable puissance de l'eau, guidant sa planche au sommet du rouleau.

« Je peux le faire, se dit-il triomphalement. Ce n'est rien du tout, pas de problème ! »

La planche se cabre comme un cheval sauvage. Skate tombe, cul par-dessus tête dans la vague écumante. Elle le culbute et le culbute encore. Il essaie de respirer et avale une gorgée d'eau salée. Il agite les bras, combattant les vagues qu'une seconde plus tôt il maîtrisait encore.

Ses poumons sont prêts à éclater. Il doit respirer. Il doit revenir à la surface.

Il sent son visage s'aplatir dans le sable, ses jambes échapper à l'emprise de l'eau. Une main le saisit et le traîne sur la plage.

Il s'étrangle et crache de l'eau.

– Tu es né bête, ou tu fais seulement l'idiot ? demande Dolly en se penchant sur lui.

– Urg ! Arg ! Wark ! fait Skate en essayant de reprendre son souffle.

– Tu n'as rien trouvé de mieux que d'aller nager

tout seul ? poursuit-elle. Et surtout dans le golfe ! Tu as de la chance de ne pas déjà te trouver à mi-chemin de la Jamaïque ! Maintenant, remets ce truc où tu l'as trouvé.

Il traîne sur la plage la planche qui lui semble maintenant lourde et encombrante et l'enfonce dans le sable à l'endroit où il l'a découverte.

– Que faites-vous ici ? demande-t-il, alors qu'il commence à retrouver son souffle.

– Je me rends à mon travail, dit Dolly. Des requins, des raies électriques, des méduses, des barracudas ! Le courant sous-marin ! Non, tu ne devrais pas nager seul, surtout pas dans ces parages. Mais tes parents te l'avaient sûrement dit, pas vrai ?

Skate la suit en traînant les pieds. Quand ils ont presque atteint la maison, il demande :

– Vous allez raconter ça à mes parents ?

Dolly lui décoche un regard chargé de reproches.

– Non, dit-elle. Mais ne recommence plus. La seule chose pire qu'un gamin stupide, c'est un gamin stupide et mort.

Quand il revient avec sa famille, plus tard dans

la journée, la planche a disparu. Il arpente la plage de long en large, à la recherche de Shell. Mais il ne le voit nulle part, ni sur le rivage ni sur les vagues qui déferlent sans trêve sur l'île.

Déçu, Skate tente de faire la planche. Mais ça ne l'amuse pas. Il veut se trouver sur une planche, bien loin dans l'eau, bien loin de tout le monde. Il veut fendre les flots, chevaucher les vagues.

À la fin de la journée, il a presque oublié le squelette, les phalanges manquantes et son skateboard confisqué. Il est comme un enfant, obsédé par un désir, et une seule chose pourrait le rendre heureux.

Se trouver sur une planche, en mer. Plus rien d'autre n'a d'importance.

Chapitre 10

La brûlure

Le matin suivant, Skate s'éveille avant le lever du soleil. Comme il l'a fait la veille, il se glisse hors de la maison. Il court à toutes jambes vers la plage.

Son cœur se serre quand il voit que la planche ne s'y trouve pas.

– De grâce, Shell, montre-toi ! murmure-t-il.

Et à ce moment, il paraît, surgissant de l'eau obscure, chevauchant une vague.

Skate court vers le rivage.

– Shell ! crie-t-il. Hé, Shell !

Le surfeur finit sa course, puis il s'enfonce élégamment dans la mer, sans même une éclaboussure. Skate s'avance dans l'eau jusqu'aux genoux, en agitant les bras.

– Hé, par ici ! crie-t-il.

L'eau est glaciale. Elle le refroidit jusqu'aux os. Mais il le remarque à peine. Toute son attention est concentrée sur Shell qui revient lentement vers le rivage.

Shell tourne la tête vers lui.

– Où étiez-vous passé ? demande Skate.

– Je t'avais laissé une planche ! répond le surfeur.

– Je n'ai pas l'autorisation de nager seul.

– Vraiment ? fait Shell en haussant un de ses sourcils incolores. Il fallait me dire que tu n'étais pas un bon nageur.

– Je suis un bon nageur ! proteste Skate. Mais c'est quand même plus sûr.

– Sûr ? Il te faut un gilet de sauvetage ? Un casque ?

– Non ! dit Skate en fusillant Shell du regard.

Shell le fixe en retour.

– Ta planche se trouve près des dunes, dit-il enfin.

Il fait volte-face et se dirige vers le large.

Skate se précipite vers les dunes et empoigne la planche courte. Il s'arrête un moment pour regarder les autres, toutes plus longues et plus brillantes.

« Un jour, je monterai celles-là ! » se promet-il.

Puis il part à la rencontre des vagues.

Il fait du surf avec Shell jusqu'au lever du soleil. À chaque course, il gagne en confiance. Ses chutes dans l'eau sont moins violentes.

« Ce n'est pas bien grave ! se dit-il en faisant surface après l'une d'elles. Pas de quoi paniquer. »

C'est quand il réalise que le soleil est déjà haut dans le ciel qu'il panique. Et si ses parents se réveillaient et voyaient qu'il est parti ? Il aurait à nouveau des ennuis !

Il se met à pagayer vers le rivage. Puis il ramène la planche auprès des autres.

– À bientôt, Shell ! lance-t-il.

Mais Shell ne lui répond pas. Il continue à surfer comme si de rien n'était.

Dolly observe Skate alors qu'il monte les marches à l'arrière de la maison. Elle croise les bras, mais ne dit rien.

Le regard de Skate croise ses étranges yeux pâles. Son visage mince semble encore plus aigu, comme si la peau fondait pour ne laisser que les os. Skate se demande qui elle lui rappelle.

– Je n'étais pas seul ! dit-il.

Dolly hausse les sourcils. Mais elle ne répond pas.

– J'en veux encore, encore ! lance Christine.

– Mais tu as déjà un million de coquillages, dit Skate avec lassitude.

– Encore ! insiste-t-elle.

– Mais oui, va chercher des coquillages avec ta sœur ! suggère la mère de Skate, comme si c'était la plus brillante idée du monde.

Skate gronde intérieurement. Mais il n'y a pas d'échappatoire. De plus, il doit avoir une conduite irréprochable. Peut-être recevra-t-il son skateboard en retour plus tôt que prévu. Et si quelqu'un apprenait ses séances de surf matinales et voulait lui faire des ennuis, peut-être sa bonne conduite apaiserait-elle la colère parentale.

Un peu comme s'il alimentait un compte de bonne conduite en prévision d'une urgence.

Christine le regarde avec de grands yeux suppliants. On pourrait croire qu'une journée à la plage l'épuiserait, mais elle n'est même pas fatiguée.

« Pas encore fatiguée ! » se dit Skate.

Il décide donc de l'emmener à la chasse aux

coquillages et de la faire marcher jusqu'à ce que ses petites jambes n'arrivent plus à la porter.

– Prends ton seau à coquillages ! dit-il en réprimant un bâillement.

Christine hurle de joie et se rue dans la maison. C'est fou comme de telles bagatelles peuvent rendre un gosse heureux.

– Ah, le plaisir de collecter les os des créatures marines, remarque l'oncle Edgard.

– Les os ? dit Skate.

– Les coquillages sont l'enveloppe externe des mollusques. Ils portent, pour ainsi dire, leur squelette à l'extérieur. Le corail aussi, c'est de l'os.

Christine sort de la maison juste à temps pour entendre le réjouissant exposé de l'oncle Edgard. Les coins de sa bouche s'affaissent.

– C'est pas des os que je veux, gémit-elle. C'est des coquillages !

– Alors, allons-y ! intervient Skate en tendant la main.

En compagnie de Christine qui balance son seau en plastique, il emprunte le chemin qui, à travers les dunes, mène de la maison de l'oncle Edgard à la plage. Le sable tiède crisse sous leurs sandales. Skate les enlève quand ils atteignent le rivage et Christine l'imite.

La plage s'incurve, de part et d'autre, en un arc blanc, comme les ailes d'une mouette. Skate cligne des yeux et abaisse sa casquette. En effet, tard dans l'après-midi, la lumière reste aveuglante.

Ils s'avancent pieds nus dans le sable. Christine s'accroupit et commence immédiatement sa récolte de coquillages.

Skate la laisse à sa tâche et s'assied dans le sable pour contempler la mer et méditer.

« Quelle façon de passer Thanksgiving », se dit-il.

À des kilomètres d'une piste de skate convenable, privé de sa planche, dans une maison qui abrite un squelette, un dingue et une femme de ménage superbizarre. Sur une île plate qui n'est qu'un tas de sable au milieu d'une grande piscine infestée de requins et Dieu sait quels autres monstres. Et en étant forcé de faire du baby-sitting. Sur l'échelle de Skate, ces vacances avoisinent le zéro absolu, à l'exception des séances de surf.

Skate se retourne vers la maison dans les dunes. De loin, elle a l'air parfaitement normale.

Mais jusqu'à quel point la maison d'un auteur de romans d'épouvante peut-elle être normale ? Quele espèce de tordu faut-il être pour gagner sa vie en écrivant des bouquins d'horreur ?

Christine se redresse et commence à arpenter la plage, les yeux rivés au sol. Skate se lève pour la suivre.

– C'est ta sœur ? demande Shell, en lui emboîtant le pas.

Skate commence à s'habituer aux numéros d'apparition et de disparition du surfeur.

– Ouais, je fais du baby-sitting, répond-il.

Après une pause, il demande :

– Vous habitez sur l'île d'Os ?

– Je fais la navette, dit le surfeur.

– Comment ça, la navette ?

– Tu as déjà vu des canots à moteur, non ? Ta sœur m'a l'air fort occupée. On pourrait se taper quelques vagues.

L'offre est tentante.

– Je ne sais pas trop, dit Skate.

– Elle ne risque rien sur la plage, dit Shell. Qu'est-ce qui pourrait lui arriver ?

Christine a déversé ses coquillages au bord de l'eau et fait le tri. Elle n'a même pas remarqué la présence de Shell.

– Tu dois t'entraîner si tu veux être prêt, poursuit-il.

– Prêt ? Prêt pour quoi ?

– Pour la grande vague. Le super-rouleau !

Les yeux de Shell sont mi-clos, comme s'il visionnait un film derrière ses paupières.

– Personne ne sait d'où elle vient ni ce qui la provoque, poursuit-il. Ce n'est pas seulement une vague, c'est la vague parfaite. Mais elle est énorme, plus grande que tu ne peux l'imaginer. Si tu réussis à la saisir, à la chevaucher et à la monter jusqu'au bout...

La voix de Shell s'éteint.

– Quoi ? Quoi ? demande Skate.

– L'immortalité ! dit le surfeur, avec sur son visage mince une expression avide. La vie éternelle !

– Vous voulez dire qu'on devient si célèbre que personne ne peut plus vous oublier ? précise Skate.

Les yeux de Shell s'enflamment. Il tarde un moment avant de répondre.

– Prends ta planche et allons-y ! lance-t-il. Nous perdons du temps !

– Eh bien...

Skate regarde Christine. Elle s'est accroupie au bord de l'eau et regarde quelque chose qui flotte. Faire quelques courses avec la planche ne prendra pas longtemps. Elle est en sécurité.

– Eh bien...

Skate se retourne vers Shell. Il est surpris par la rage qui brûle dans les yeux du surfeur.

Skate cligne des yeux. Le regard de Shell redevient pâle, vide et attentif.

– Eh bien ? répète-t-il d'un ton ironique. Viens donc.

– Je... Je ne peux pas ! dit Skate.

Il fait quelques pas vers Christine.

– Je ne peux pas laisser ma sœur toute seule.

Et puis, surtout, Shell lui donne la chair de poule. Il est terriblement insistant. Et possessif. Tout à fait comme...

« Mais non, ce n'est pas possible », se dit Skate en repoussant l'idée de son esprit.

– À ta guise ! siffle Shell.

Et il s'éloigne à grands pas.

Un pressentiment pousse Skate à se tourner vers sa petite sœur, juste au moment où elle tend la main vers la chose qu'elle observait.

– Non, Christine, pas ça ! crie Skate.

Il bondit vers elle et lui arrache un disque pâle et gélatineux qu'il jette dans l'eau, où il reste à flotter comme une petite tache de pétrole.

Puis il regarde sa main. Et il se met à hurler.

Chapitre 11

L'ombre de Ben

– Skate ?

Les yeux de Christine s'agrandissent démesurément.

– Ne... pleure pas... t'en fais... pas... ça va ! parvient-il à murmurer entre ses dents serrées.

Où est donc passé Shell ? Skate a besoin d'aide. Il regarde désespérément autour de lui, des larmes de douleur plein les yeux. Mais le surfeur a disparu sans laisser de trace.

– Faut qu'on rentre. Viens ! dit Skate.

– Mes coquillages ! gémit Christine.

– Plus tard. On viendra les chercher plus tard.

Sans bien savoir ce qu'il fait, il cueille le seau de sa main indemne et court vers les dunes où il le dépose à l'abri de la marée. Christine, qui le suit, tente de le ramasser. Mais il ne lui en laisse pas l'occasion. Malgré ses cris et ses protestations, il l'entraîne par la main à travers le sable.

Il s'attend à ce que, d'un moment à l'autre, sa main prenne feu. Jamais dans sa vie il n'a ressenti une douleur aussi insoutenable.

Son père a entendu les cris de Christine et court à leur rencontre sur le sentier des dunes.

– Qu'est-ce qu'il y a? Qu'est-ce qui s'est passé? demande-t-il fébrilement.

– Ma main! souffle Skate en la levant pour l'exhiber.

L'oncle Edgard les a rejoints. Un seul coup d'œil à la main de Skate lui suffit.

– Une méduse! dit-il.

Skate réalise alors ce qu'était cette chose gélatineuse et translucide qu'il a rejetée dans le golfe.

– Elle t'a bien eu, mais tu n'en mourras pas! assure l'oncle Edgard en conduisant Skate vers la maison.

– Le vinaigre, poursuit-il, apaise généralement la brûlure. Je suis étonné que tu sois tombé sur une méduse à cette époque de l'année. C'est assez inhabituel.

– Elle a nagé vers moi, dit Christine.

Ses larmes ont séché et elle retrousse le nez quand l'oncle Edgard verse du vinaigre dans la paume de Skate. Skate aussi fait la grimace. Il a le parfum d'une salade ! Mais l'oncle Edgard avait raison : la douleur commence à se calmer.

– Merci ! dit Skate.

– Skate l'a empoignée, poursuit Christine. Il ne voulait pas que je joue avec.

– Une réaction avisée ! dit oncle Edgard.

Skate hausse les épaules. Son père lui tapote le dos. Puis Christine plisse les yeux et les larmes se remettent à couler.

– Il a laissé mes coquillages ! gémit-elle.

Un même schéma régit les journées de Skate sur l'île d'Os. Il se lève avant l'aube et va à la plage. Shell est toujours là, glissant déjà sur les vagues. Skate pagaie pour le rejoindre et ils montent leur planche côte à côte jusqu'au lever du soleil.

Skate passe le reste de la journée à traîner sur la plage avec sa famille ou à explorer l'île. Mais il n'y a pas grand-chose à explorer. Il découvre les ruines abandonnées de quelques cabanes dans les dunes. Il aperçoit, loin dans la baie, les derniers piliers de pontons qui se dressaient là auparavant.

Un jour, il s'aventure jusqu'au débarcadère du ferry, jusqu'à la maison de Dolly. Mais la maison est fermée et les volets baissés.

Shell devient chaque jour plus taiseux. Il adresse à peine la parole à Skate, qui sent pourtant son regard se fixer parfois sur lui. Il se retourne alors et voit Shell l'observer, sans l'ombre d'une expression sur son visage maigre.

Skate en ressent un profond malaise. Quelque chose dans les yeux de Shell lui semble familier.

Ben Marrow !

Skate s'arrête au beau milieu d'un pas au cours d'une de ses promenades. Shell lui rappelle Ben Marrow et, cette fois, il ne peut plus repousser cette pensée.

Il secoue la tête. C'est impossible. Ben Marrow est...

Est quoi au juste ?

Mort ? Peut-être. Peut-être pas.

Ben Marrow, l'as du skate-board. Ben Marrow, l'immortel champion. Ben Marrow, qui hante les rêves de Skate.

Shell pourrait-il être...

La camionnette fait une embardée dans une

ornière particulièrement profonde et Skate est projeté contre la portière. Il s'en aperçoit à peine. « Tout ça se tient », pense-t-il. Puis il se dit : « Non, ça ne tient pas debout. »

Si Shell n'était autre que Ben Marrow et l'avait suivi jusqu'à l'île d'Os ? Avide de vengeance, bien sûr ! Skate frissonne.

Mais comment serait-il arrivé là ? A-t-il voyagé dans un cercueil ? A-t-il acheté un billet de la compagnie Air Cadavre ?

Skate frissonne à nouveau. Que chercherait-il à lui faire ?

La camionnette émerge de derrière les dunes. L'oncle Edgard fait la grimace.

– L'eau m'a l'air bien haute, dit-il.

– Comment ? fait Skate, arraché à ses pensées.

– Le niveau de la mer est très haut. Plus haut qu'il ne devrait l'être selon le calendrier des marées.

– Vraiment ?

Skate observe le golfe. Les vagues viennent en effet rouler jusqu'au pied des dunes. Elles semblent aussi plus puissantes.

– J'espère que nous n'aurons pas de mauvais temps demain pour Thanksgiving, dit l'oncle

Edgard. Personne ne l'a annoncé, mais quand donc prévoient-ils le temps sans se tromper ?

– Mais on peut voir arriver un ouragan, pas vrai ? demande Skate d'une voix aussi assurée que possible.

« C'est elle, la voilà ! chuchotent ses pensées. C'est le début de la grande vague dont parlait Shell. »

– Bien sûr. Ne t'inquiète pas pour ça ! répond l'oncle Edgard.

Il jette un dernier regard vers la mer avant de ramener la camionnette sur la route, en direction du bout de l'île.

– Quand même, je n'aime pas ça ! ajoute-t-il.

Ils vont attendre l'arrivée du ferry. Il doit délivrer des vivres que l'oncle Edgard a commandés à des magasins de la côte, dont la dinde du dîner de Thanksgiving.

L'oncle Edgard s'éclaircit la voix avant de demander :

– Ton séjour te plaît ?

– Je le trouve très intéressant ! répond Skate avec diplomatie.

Ils ont atteint le débarcadère. Le ferry est déjà en vue, à quelques centaines de mètres de la côte.

Il actionne sa sirène en approchant et l'oncle Edgard donne un coup de klaxon en réponse...

– Joyeux Thanksgiving ! lance l'homme qui tient la barre du ferry, tandis que Skate et l'oncle Edgard prennent les colis pour les charger dans la camionnette.

– Et bonne dinde à vous aussi ! répond l'oncle Edgard.

Tandis que la camionnette s'éloigne, le ferry lance un coup de sirène d'adieu. Puis, de façon inattendue, l'oncle Edgard demande :

– Tu as beaucoup exploré l'île, à ce qu'on m'a dit. Tu as trouvé quelque chose d'intéressant ?

– Comme quoi ?

– Comme le vieux cimetière des pirates ! répond-il. Du moins, les gens l'appellent comme ça. Il n'y a rien que quelques pierres tombales à moitié mangées par les intempéries. Ça m'étonne d'ailleurs qu'il en reste quelque chose.

Skate a failli tomber de la camionnette.

– Un cimetière ? gronde-t-il. Où ça ?

– Pas très loin de la maison, en fait. De l'autre côté du bosquet, près de la plage.

– Un cimetière ! répète stupidement Skate.

– Je comprends que tu l'aies manqué. Il est

pratiquement recouvert par la végétation. Mais j'ai pensé que ça t'intéresserait quand même de le voir.

– Un cimetière ! murmure Skate une dernière fois, en réalisant avec effarement d'où Shell a surgi.

Chapitre 12

La grande vague

– Je l'ai fait ! Je suis venu ! se dit Skate.

Le vieux cimetière n'est qu'un enchevêtrement d'herbes folles, avec quelques tombes lépreuses et vacillantes qui en émergent.

Skate n'aime pas ça du tout. « Les cimetières sont tous les mêmes, se dit-il. Plein de gens morts. Et d'os ! »

À la différence que, selon l'oncle Edgard, celui-ci héberge des serpents.

– Méfie-toi des serpents ! a-t-il lancé joyeusement, après lui avoir expliqué comment arriver au cimetière des pirates.

Skate va de tombe en tombe, avançant prudemment dans les fourrés tout en les remuant pour faire fuir les serpents qui ramperaient dans les parages. Ce cimetière est pire que celui de la colline derrière son école. Le vent, les tempêtes et l'air salé de l'île ont réduit en gravats la plupart des tombes.

Mais il reste convaincu que Shell sort d'ici. Il parierait son skate-board là-dessus ; du moins, s'il avait son skate-board !

Il passe le plus clair de l'après-midi à sillonner le cimetière. Il découvre treize tombes mais n'a aucune idée de qui ou quoi y est enterré. Le temps a effacé toute indication que les pierres tombales auraient pu lui livrer.

Baigné de transpiration et dévoré par les insectes, Skate abandonne la partie et retourne vers la maison. En quittant le cimetière, il entend des pas derrière lui et se retourne brusquement.

Mais, bien sûr, il ne voit personne.

Il est réveillé par le bruit des vagues, aussi haut et aussi clair que s'il avait dormi sur la plage. Mais ce n'est pas le cas. Il est bien dans sa chambre, avec une chaise coincée sous la clenche pour le cas où Shell et sa compagnie de squelettes auraient voulu lui rendre une visite nocturne.

Il fait très sombre. Mais quand Skate vient à la fenêtre, il voit la mer briller d'une lumière froide et métallique. Il lui semble apercevoir à l'horizon les premières lueurs de l'aube.

Il s'habille rapidement et se dirige vers la plage. Tandis qu'il marche, le vent mugit sans cesse, lugubrement. Le sable vient lui battre les jambes et il doit tenir fermement sa serviette pour qu'elle ne soit pas emportée.

Au bout du sentier, il s'arrête, médusé.

Le golfe semble vivant et furieux. Il soulève jusque bien haut sur la plage d'énormes crêtes huileuses. Tandis qu'il contemple ce spectacle, une vague immense s'élève bien haut, puis s'abat rageusement dans le sable, projetant son écume jusqu'à la lisière des dunes où se tient Skate.

Il fixe la mer, mi-effrayé, mi-excité. Le jour de la grande vague serait-il venu ?

— Notre heure est arrivée ! lance une voix derrière son épaule.

Il se retourne. Shell se tient à ses côtés. Sous un bras, il porte sa longue planche brillante. Sous l'autre, il tient celle de Skate.

— Ces vagues ne sont qu'un début, dit-il.

Il lance à Skate un regard oblique.

— Tu n'as pas peur ?

— Non, dit Skate.

Il ment. Il a peur, mais se sent étrangement enthousiasmé.

Shell rit d'une voix dure et éraillée. Le vent violent emporte son rire et bouscule Skate.

– Tiens ! dit Shell en tendant sa planche à Skate. Allons-y.

Skate la prend. Shell lui semble tout à fait normal aujourd'hui. Peut-être a-t-il laissé son imagination s'emballer, à cause de l'os, du squelette...

Et surtout, il a envie de surfer.

Ils traversent le sable mouillé. L'eau froide se referme sur les chevilles de Skate.

« Il fera plus chaud quand le soleil se lèvera », se dit Skate.

Mais le ciel gris ne semble pas vouloir s'éclaircir.

L'eau atteint maintenant ses genoux. Devant lui, Shell saute sur sa planche et se met à pagayer au cœur de la houle.

Skate le suit. À chaque mouvement, il doit se battre pour garder son équilibre. Ils avancent et avancent encore.

– Hé ! Hé, Shell ! appelle Skate.

Ses mains sont engourdies par le froid. Shell ne

semble pas l'avoir entendu.

– Hé, Shell ! insiste-t-il. Tu ne crois pas que nous sommes assez loin ?

Shell continue à avancer.

Skate regarde par-dessus son épaule, vers le rivage. Il le distingue à peine à travers le voile de vapeur d'eau que projettent les vagues.

« Nous ne sommes pas si loin que ça, se dit-il. C'est juste une impression, parce que les vagues montent plus haut sur la plage. »

Et ils continuent à pagayer.

Enfin, Shell s'arrête. Skate, haletant, se porte à sa hauteur. Il réalise alors à quel point ils se sont éloignés de la côte

– Où... Où est l'île d'Os ? demande Skate.

Shell sourit. Ses dents, Skate le remarque pour la première fois, sont énormes.

– En dessous de nous ! dit-il.

– Qu'est-ce que tu veux dire ?

– La plus grande partie a été emportée par la mer. Tu serais étonné de savoir tout ce qui est enterré dans le sable du fond !

L'eau se gonfle sous eux et Skate manque de tomber de sa planche. La panique s'insinue lentement au plus profond de lui-même.

– Nous sommes vraiment très loin, dit-il.

– Grande vague, longue course ! réplique Shell.

Il sourit à nouveau et Skate tremble un peu plus.

– Tu n'as pas peur, n'est-ce pas, Skate Mac Graw ?

« Si ! » pense Skate.

– Tu sais, poursuit Shell d'un ton léger, ces parages sont infestés de requins. Je me demande s'il y en a un en dessous de nous, à la recherche d'un amuse-gueule.

« L'eau est si sombre ! pense Skate. Je ne le verrais même pas arriver. »

Au mieux, il apercevrait un aileron triangulaire, sentirait le choc de la tête du requin heurtant sa planche.

– Les requins s'attaquent aux surfeurs, précise Shell, parce que vus d'en dessous, sur leur planche, ils ressemblent à des phoques. Et les phoques constituent la nourriture favorite des requins. D'ailleurs, ta planche ressemble beaucoup à un phoque. Beaucoup.

– Pas la peine d'essayer de me faire peur, ça ne marchera pas ! dit Skate.

Il réussit à parler d'une voix ferme, mais péniblement. Shell regarde par-dessus son épaule.

– Elle arrive ! dit-il.

L'eau devient plus sauvage, plus agitée.

« Qu'est-ce que je fais ici ? se demande Skate. Je dois être dingue. Personne ne peut affronter ces vagues sur une planche de surf ! »

Personne d'humain, en tout cas.

Il se tourne vers Shell. Personne ne pourrait affronter ces vagues en canot non plus. Il chavirerait et serait réduit en bois d'allumette.

Skate s'étrangle quand sa planche s'incline et glisse en arrière dans un creux.

– Où est ton canot ? réussit-il à demander.

La mer le soulève brutalement, deux fois de suite. Il se sent devenir malade.

– Mon canot ? ricane Shell en pointant le doigt vers le bas. On pourrait dire qu'il est ancré au fond. Il l'a été pendant plus de deux cents ans.

Skate regarde instinctivement vers le bas, comme s'il pouvait apercevoir la carcasse du canot. Il entend à peine résonner le rire de Shell.

– Tu ne sais donc pas qui je suis, crétin ? hurle-t-il.

Skate lève les yeux. Son intuition était la bonne, depuis le début. Mais il n'a pas le temps de répondre.

Shell s'est penché en avant. Il se met à pagayer.

Skate se retourne. Une vague monstrueuse fonce vers eux. Elle semble boucher l'horizon tout entier.

– Shell est un surnom récemment acquis, quand je suis devenu la coquille vide de ce que j'étais auparavant, dit Shell. De mon vivant, je m'appelais Shark. Shark Marrow. Tu as rencontré mon frère, Ben !

« Le frère de Ben ! Ben est donc mort, en fin de compte », pense Skate.

– Il a eu une nouvelle chance. Tout était prêt. Et tu l'as ruinée, misérable petit humain !

– Non ! proteste Skate.

– Mais il a été stupide. Il t'a défié sur ton propre terrain. Il a voulu jouer le jeu. Je ne suis pas aussi naïf !

Shell déploie ses longs bras maigres.

– Je suis sur mon terrain. C'est mon golfe ! Tu n'as pas la moindre chance.

Il claque des doigts et une flottille de méduses envahit la mer, aussi loin que porte la vue. Skate lève instinctivement les pieds.

Shell éclate de rire et claque à nouveau des doigts. Les méduses disparaissent, remplacées aussitôt par de sinistres ailerons triangulaires qui fendent les flots comme des couteaux coupant du beurre.

En riant toujours, Shell claque une troisième fois des doigts, et l'eau tourbillonne sous la planche de Skate avec un horrible bruit de succion.

– Maintenant, c'est à nous ! conclut Shell.

Il se dresse sur sa planche et Skate, en vacillant sur ses jambes, se met debout sur la sienne. Il devine la masse énorme de la vague suspendue au-dessus de lui. Il entend son rugissement assourdissant, comme celui d'un train de marchandises qui n'aurait pas de fin.

– Surfe, Skate Mac Graw ! hurle Shell. Surfe pour ta vie !

Et Skate devine qu'il va mourir.

Chapitre 13

Chevauchée mortelle

Skate, balançant sur sa planche, conserve à grand-peine son équilibre. Il est au cœur d'un rouleau, dans un tunnel obscur et mugissant qui ne mène nulle part. Par moments, il aperçoit Shell, perçant les flots, dessinant des figures complexes dans cette vague surnaturelle comme si de rien n'était.

La planche de Skate zigzague et Skate l'accompagne, se rétablissant chaque fois à l'ultime seconde, approchant plus de la chute à chaque nouvelle embardée.

– Tu tombes ? chuchote une voix près de son oreille.

Et Shell éclate follement de rire.

Les genoux de Skate sont secoués de tremblements. Il ressent un froid glacial de la tête au bout des orteils. Il ne sent presque plus la planche sous ses pieds.

Il glisse et manque de plonger la tête la première dans l'eau écumante. Il se sauve à nouveau, par miracle.

Il ne voit plus rien.

– Capitule, Skate. Tu es à moi. À moi, à moi ! Bienvenue au jardin des ossements ! serine la voix de Shell à son oreille.

– Non ! hurle Skate avant d'avaler une gorgée d'écume salée.

– Abandonne ! siffle Shell.

Sa planche vient de surgir de nulle part, coupant la route de Skate pour tenter de le renverser.

Le surfeur vêtu de noir a déjà disparu. Il n'est plus maintenant qu'un sinistre squelette, moulé d'une combinaison trempée. Ses dents sont rouges de sang, des algues dégoulinent de son crâne.

Skate fait virer sa planche pour s'éloigner du squelette vorace.

Alors, il l'aperçoit : un aileron ! Un aileron triangulaire qui fend l'eau et vient droit vers lui. Puis un autre, et encore un autre.

– Si tu tombes, tu meurs ! murmure Skate d'une voix brisée.

La planche se cabre furieusement. D'un instant à l'autre, Skate va perdre complètement le contact avec elle. Il va être projeté la tête la première dans les flots déchaînés. Il va se noyer. Se faire dévorer. Finir en un petit tas d'os sur le sable du fond, et personne ne saura jamais où il a disparu.

Il entend alors le rire triomphant de Shell qui résonne dans ses oreilles.

«Non, se dit-il. Je ne jouerai plus son jeu. Mieux vaut tenter ma chance avec les requins!»

Et il se jette à l'eau.

Il s'enfonce dans les ténèbres. La mer gronde autour de lui, engourdissant tous ses sens. Il est écartelé, tordu et ballotté de tous les côtés. La vague furieuse semble l'avoir saisi comme un chien saisit sa proie et le secoue sans trêve.

Il ouvre les yeux et voit des formes énormes foncer vers lui. Il essaie de se battre, de revenir à la surface. Mais chacun de ses mouvements est contré par l'océan. Ses poumons sont en feu. Il a follement besoin de respirer mais il sait que, s'il le fait, il n'aspirera que de l'eau.

Ce sera son dernier souffle.

Il aperçoit l'éclat des dents acérées, l'œil rond d'un requin. Il se replie sur lui-même. La peau rugueuse du squale érafle la sienne. Il lance des coups de pied dans une masse dure et rigide.

Ils tournent autour de lui et le cercle se referme de plus en plus. Skate se débat, encore et encore. Ses oreilles se mettent à siffler et ce sifflement devient de plus en plus assourdissant. Il finit par sonner comme le rire de Shell.

Puis une autre silhouette passe comme un éclair, et une autre encore. Près de Skate, un gros requin happe l'eau de sa terrible mâchoire. Mais une silhouette grise et luisante, parée d'un gros nez et d'un front arrondi, plonge entre Skate et sa mort.

Les dauphins sont partout maintenant, contrant les mouvements des requins, tournant autour d'eux comme s'il s'agissait d'un grand jeu. Quelque chose de caoutchouteux et de presque doux effleure le bras de Skate. Instinctivement, il l'agrippe.

Il est brusquement tiré en avant. Il n'est plus culbuté par les vagues, il est entraîné au travers des flots. De plus en plus vite.

Un épouvantable hurlement résonne dans sa tête.

– Noooon ! mugit Shell. Noooon !

Skate sent alors le sable sous ses genoux. Ses

pieds trouvent un appui et il se lève.

Un aileron émerge près de lui. Il aperçoit pendant une fraction de seconde un gros museau souriant, une peau lisse couleur gris perle. Et le dauphin a déjà disparu, regagnant le royaume aquatique sur lequel il règne.

L'eau s'élance contre les jambes de Skate et le pousse en avant. Il titube jusqu'à la plage, s'éloigne autant que possible de l'eau.

– Merci ! murmure-t-il à l'intention des dauphins, avant de s'écrouler, épuisé, sur le sable.

– Holà ! lance une voix.

Skate émet un grognement.

– Hé, je te parle.

Skate grogne à nouveau.

– Lève-toi !

Avec un terrible effort, Skate se redresse. Le sang lui bat les tempes. Le soleil l'aveugle. Il est enrobé de sable et de sel et son corps entier lui fait mal. Une de ses oreilles lui semble à moitié arrachée. Il est convaincu que ses sourcils ont été complètement effacés.

– Uh ! fait-il en grimaçant face au soleil.

– Tu as encore nagé tout seul ? demande Dolly

en se penchant pour l'examiner.

Il secoue la tête. Mais même ce mouvement est douloureux.

– Aïe ! fait-il.

Sa gorge est sèche et semble tapissée de lames de rasoir.

Dolly le saisit par-dessous les aisselles et le soulève pour le remettre sur ses pieds.

– Ça t'apprendra ! dit-elle.

– Je veux mourir ici, fait Skate d'une voix étrangement déformée.

– Il n'en est pas question. En route, maintenant. Il se fait tard.

Skate tourne ses yeux rougis vers la plage. Elle est aussi lisse que si on l'avait repassée. Même ses propres empreintes ont disparu de l'endroit où il s'est arraché aux flots et a regagné la terre ferme.

La mer est claire et lumineuse, étalant jusqu'à l'horizon bleu foncé son dégradé de turquoise et de vert. Le ciel est parfaitement bleu et la brise lui caresse doucement le visage.

– Mais que s'est-il passé ? demande-t-il.

– Tu es allé nager avec les requins ! dit Dolly.

Ils reprennent leur marche. Dolly maintient sa fine main sous le bras de Skate. Sa peau est douce et étrangement élastique, remarque-t-il vaguement. Ses yeux paraissent moins sévères aujourd'hui. Ils ont une teinte aigue-marine, pareille à celle de la mer.

Une épaisse mèche de cheveux noirs s'est échappée de dessous son chapeau. Elle brille d'un reflet humide.

Quand ils atteignent la maison, Dolly dit :

— Tu ferais bien d'aller te décrotter. Ils vont se lever d'un instant à l'autre.

Skate ne réalise même pas ce qui lui arrive pendant le reste de la journée. Il est comme hébété.

Durant toute la semaine, il nage très près du rivage, redoutant toujours l'apparition d'un homme ou d'un squelette faisant du surf dans sa combinaison noire et détrempée.

Mais les jours s'écoulent aussi paisiblement et aussi gentiment que la mer adoucie vient lécher le rivage. Les douleurs et les meurtrissures de Skate disparaissent graduellement. Mais pas le souvenir de ce qui s'est produit !

Shell l'a appâté, abusé, hypnotisé et possédé. Il a essayé de le détourner de son baby-sitting quand il était avec Christine. Quand cela a échoué, il a dirigé la méduse vers les mains de sa sœur. Skate en est convaincu.

Shell a traqué et harcelé Skate depuis le début. Il a animé l'affreux squelette, il l'a fait se pavaner et a provoqué Skate dans la maison de son oncle.

Tout cela pour se venger. Si Skate avait tenté de rester sur sa planche, il aurait disparu dans un tombeau liquide. Il aurait servi de nourriture aux requins. Skate frissonne à cette idée.

L'oncle Edgard les ramène au ferry. Alors qu'ils sont sur le point d'embarquer, madame Mac Graw dit :

– Eh bien, Skate, oncle Edgard nous a persuadés qu'un mois de confiscation de ton skate-board était une peine fort sévère. Donc...

Elle plonge la main dans le tas de bagages devant elle et en extrait la planche de Skate.

Il la serre contre son cœur en se sentant ridiculement heureux.

Il sourit à l'oncle Edgard.

– Merci ! dit-il.

– Il n'y a pas de quoi, répond celui-ci en lui retournant son sourire. Ta... hum !... danse avec le squelette m'a bien inspiré pour mon prochain livre.

Ils montent à bord et se retournent pour un dernier salut. Alors que le ferry s'éloigne du débarcadère, Skate voit une personne familière s'avancer à côté de l'oncle Edgard. Elle lève la main en signe d'adieu.

Et Skate remarque pour la première fois qu'il manque un doigt à la main de Dolly.

Pendant un instant, il reste paralysé. Puis il devine ce qu'il doit faire. Il fouille son sac à dos et en sort l'enveloppe qu'il a reçue il y a si peu de temps. Pourtant, il lui semble qu'une éternité s'est écoulée. Cachant le doigt au creux de son poing, il retourne à la rambarde en courant. Levant une main pour saluer, il laisse pendre l'autre, l'ouvre, et laisse tomber l'os dans l'eau.

Chapitre 14

La sirène

Le dauphin saisit l'os de sa bouche souriante bien avant qu'il ne touche le fond.

Une sirène nage vers le dauphin, ses cheveux noirs ondoyant dans l'eau, sa longue queue couverte d'écailles dorées se mouvant gracieusement. Comme c'est bon de se retrouver dans son élément. Elle se sent fatiguée. Elle a travaillé si dur ces derniers jours, juste pour un humain stupide. Elle avait pourtant envoyé un avertissement à Skate mais, bien sûr, il ne l'a pas compris.

Elle pense à Edgard Mac Graw, assis dans son bureau, écrivant des histoires qu'il croit n'être que de terrifiantes fictions.

Stupides humains. Mais Edgard Mac Graw n'est pas le pire d'entre eux. Et elle doit admettre que Skate a du courage. Stupide, mais valeureux.

Les os de Shark Marrow roulent au fond de la mer, secoués par une rage impuissante.

Elle devine que les requins décrivent, loin en mer, des cercles furieux. Mais eux. aussi sont vaincus pour l'instant.

Maintenant, elle va s'offrir une bonne baignade.

Le dauphin dépose l'os dans sa main. Elle la referme et, un moment plus tard, adresse un grand signe au dauphin, de ses deux bras et de ses dix doigts.

Le dauphin gazouille dans ce langage si haut perché que seuls ses congénères et quelques autres créatures peuvent le comprendre.

– Hello, Dolly ! dit le dauphin.

FIN

Crée ta propre histoire de squelette en complétant ce qui suit !

L'École du squelette.

Mon copain .... ne fréquente pas une école ordinaire. Il va à l'École du Squelette.

Au lieu d'avoir des bancs et des chaises, les élèves sont .... sur des .... Le cours de français est remplacé par des leçons de .... Plutôt que de faire de la gymnastique, ils s'exercent à .... Chaque matin, les élèves jurent fidélité à ....

Au déjeuner, la cafétéria sert des .... ou des .... accompagnés de .... Comme boisson, ils ont un grand choix de ....

Ce n'est pas une sonnette qui annonce la fin des cours, mais le bruit d'un ....

L'École du squelette est vraiment un endroit tout à fait .... , mais mon copain l'adore. Après tout, lui-même est un .... !

Bussière Camedan Imprimeries
à Saint-Amand (Cher), France.
Dépôt légal : février 1999. N° d'imp. : 990757/1.